Chère lectrice,

Ce mois-ci, plus que jamais, la haine et l'amour se mêlent dans le cœur de nos héros pour donner vie à des histoires brûlantes de passion et d'intensité.

Dans *Un irrésistible défi* (Azur n° 3483), le premier tome de la série de Lynne Graham « Amoureuses et insoumises », Kat et Mikhail, l'impitoyable milliardaire qui vient d'acheter son petit cottage, se déchirent entre quiproquos et mensonges, avant de s'abandonner – enfin – à la puissance de l'amour.

Et chez les Corretti, dans *Le secret de Valentina* (Azur n° 3484), c'est le passé qui se dresse, tel un mur infranchissable, entre Valentina, une héroïne aussi impétueuse qu'émouvante, et Gio Corretti, l'homme qu'elle s'est juré de ne jamais aimer, mais qui l'attire irrésistiblement…

En compagnie de ces inoubliables héros, je vous souhaite un excellent mois de lecture !

La responsable de collection

D0281655

Un héritier pour le prince

LUCY MONROE

Un héritier pour le prince

collection *Azur*

éditions HARLEQUIN

Collection : Azur

*Cet ouvrage a été publié en langue anglaise
sous le titre :*
ONE NIGHT HEIR

Traduction française de
YOHAN LEMONNIER-MEHEU

HARLEQUIN®
est une marque déposée par le Groupe Harlequin
Azur® est une marque déposée par Harlequin S.A.

Si vous achetez ce livre privé de tout ou partie de sa couverture, nous vous signalons qu'il est en vente irrégulière. Il est considéré comme « invendu » et l'éditeur comme l'auteur n'ont reçu aucun paiement pour ce livre « détérioré ».

Toute représentation ou reproduction, par quelque procédé que ce soit, constituerait une contrefaçon sanctionnée par les articles 425 et suivants du Code pénal.

© 2013, Lucy Monroe.
© 2014, Traduction française : Harlequin S.A.

Tous droits réservés, y compris le droit de reproduction de tout ou partie de l'ouvrage, sous quelque forme que ce soit.

Ce livre est publié avec l'autorisation de HARLEQUIN BOOKS S.A.

Cette œuvre est une œuvre de fiction. Les noms propres, les personnages, les lieux, les intrigues, sont soit le fruit de l'imagination de l'auteur, soit utilisés dans le cadre d'une œuvre de fiction. Toute ressemblance avec des personnes réelles, vivantes ou décédées, des entreprises, des événements ou des lieux, serait une pure coïncidence.

HARLEQUIN, ainsi que H et le logo en forme de losange, appartiennent à Harlequin Enterprises Limited ou à ses filiales, et sont utilisés par d'autres sous licence.

Le visuel de couverture est reproduit avec l'autorisation de :
HARLEQUIN BOOKS S.A.

Tous droits réservés.

ÉDITIONS HARLEQUIN
83-85, boulevard Vincent-Auriol, 75646 PARIS CEDEX 13.
Service Lectrices — Tél. : 01 45 82 47 47
www.harlequin.fr
ISBN 978-2-2803-0697-3 — ISSN 0993-4448

1.

Aveuglé par la rage, le prince royal Maksim de Volyarus expédia un crochet du droit à son cousin et partenaire de combat, dans un parfait mouvement de kick boxing.

Demyan bloqua le coup en grognant, amortissant l'impact grâce à son gant.

— Quelque chose te tracasse, Ta Majesté ?

Maks détestait quand son cousin s'adressait à lui en utilisant son titre. Ils avaient été élevés comme des frères dans le palais familial, mais Maks était le cadet.

Demyan connaissait la musique. Il savait que son cousin aimait le provoquer durant leurs séances d'entraînement, car cela les rendait plus intenses, disait-il. Mais la journée avait été assez pénible comme ça sans qu'il en rajoute. Il n'en avait rien dit à Demyan. De toute façon, son cousin méritait de se faire secouer un peu de temps en temps.

— Je vais te gommer ce sourire à coup de poing et ça ira mieux, répondit Maks en dansant d'un pied sur l'autre avant de lancer un enchaînement dévastateur.

Tous deux étaient dans une forme physique parfaite, du haut de leur mètre quatre-vingt-dix.

— Je croyais que c'était le grand soir avec Gillian, aujourd'hui ? lança Demyan. Ne me dis pas qu'elle va refuser !

— Si je lui faisais ma demande maintenant, elle accepterait sans doute.

Et si la chose s'était produite la veille, Maks aurait été comblé. Désormais, il rongeait son frein en songeant à celle qui lui était désormais inaccessible : Gillian.

— Alors je ne vois pas le problème, fit remarquer Demyan en passant à l'offensive.

Il noya son cousin sous une avalanche de coups.

— Nous avons eu le résultat de ses analyses médicales.

— Elle n'est pas malade, au moins ? s'enquit Demyan, sincèrement inquiet.

Sa sollicitude en aurait surpris plus d'un, venant d'un homme dont la réputation de froideur n'était plus à faire. Mais Maks savait à quel point Demyan était prévenant avec ceux qu'il aimait et, durant les huit derniers mois, la belle et douce Gillian était peu à peu entrée dans ce groupe très restreint.

— Elle est en pleine forme… du moins, en ce moment.

« A l'exception de ses trompes », songea-t-il.

— Qu'est-ce que ça veut dire, ça ?

— Elle a eu l'appendicite quand elle avait seize ans.

— C'était il y a dix ans, en quoi est-ce que cela pourrait affecter sa santé aujourd'hui ?

— Les trompes de Fallope.

Demyan se figea, stupéfait.

— Quoi ?

Maks n'avait pas l'intention d'offrir le moindre répit à son cousin et en profita pour l'envoyer au sol d'un magnifique coup de pied retourné.

Demyan se releva mais ne revint pas à la charge comme Maks s'y était attendu.

— On fait une pause et tu vas m'expliquer en quoi une appendicectomie chez une adolescente a le moindre rapport avec le fonctionnement de ses organes reproducteurs ?

Demyan n'était pas dupe, il savait parfaitement à

quel point la fécondité de Gillian était capitale dans la pérennité de la maison de Yurkovitch, la famille royale de Volyarus.

— Elle est peu fertile, expliqua Maks en réajustant ses gants, elle a moins de trente pour cent de chances de tomber enceinte.

Beaucoup moins, selon certains des spécialistes que Maks avait consultés ; davantage, de l'avis de certains autres.

Demyan repoussa les cheveux qui lui tombaient sur le front.

— Et avec un traitement ?

— Je n'ai pas envie d'être le père de sextuplés.

— Ne sois pas stupide !

— C'est du pragmatisme. Tu sais comme moi que je ne peux pas épouser une femme qui n'est pas capable de me donner d'héritier.

Demyan ne répondit pas immédiatement. Les cousins ne savaient que trop à quel point ces considérations pesaient sur leurs épaules à tous deux.

— Tu n'es pas comme ton père, personne ne t'oblige à épouser une femme que tu n'aimes pas, dans le seul but de perpétuer la lignée.

— Ce n'est pas mon intention, pas plus que je n'ai envie d'infliger à ma future femme un traitement pénible, dans l'espoir incertain d'avoir une descendance.

— Tu pourrais opter pour l'adoption.

— Comme mes parents l'ont fait pour toi ?

— Ils ne m'ont pas vraiment adopté, je suis toujours un Zaretsky, et ton père n'a jamais eu l'intention de me faire hériter du trône.

— Tu n'étais que son partenaire de ring, en quelque sorte, soupira Maks avec une légère amertume.

— Nous devons tous accomplir notre devoir, esquiva Demyan d'un haussement d'épaules.

— Et le mien, c'est de demander sa main à Gillian Harris, rétorqua Maks.

Il devait le faire, alors même que son éthique personnelle lui dictait de mettre fin à leur relation au plus vite.

— Tu ne l'aimes pas ? s'enquit Demyan.

— Tu me connais, non ?

— « L'amour est un chemin de souffrance », énonça Demyan en reprenant les propres paroles de Maks.

— Et il nous éloigne de notre devoir, acheva ce dernier.

Les deux hommes parlaient en connaissance de cause.

— Alors que vas-tu faire ? demanda Demyan en reprenant une pose martiale.

Maks exécuta un enchaînement d'esquives suivies d'un crochet du gauche.

— Qu'est-ce que tu en penses ?

— Elle me manquera, avoua Demyan.

Pas étonnant. Malgré ses origines modestes, Gillian s'était étonnamment bien entendue avec sa famille. C'était d'ailleurs l'une des raisons qui l'avaient incité à la fréquenter. En société, elle avait même réussi à éviter certains écueils sur lesquels d'autres se seraient aisément échoués.

Gillian était la fille d'un journaliste international de renom et était habituée à côtoyer les grands de ce monde depuis son plus jeune âge.

Demyan bloqua son attaque et enchaîna par une riposte.

— Tu comptes tout lui dire ce soir ?

— Je n'en aurai peut-être même pas besoin.

La ravissante blonde aux yeux bleus devait disposer elle aussi des mêmes résultats que lui. Elle savait donc désormais pourquoi ces cycles étaient irréguliers et, consciente des responsabilités inhérentes au statut de Maks, elle devait s'attendre à ce que leur relation cesse *de facto*.

C'était une femme dotée d'un sens pratique très aigu et il espérait éviter une pénible scène de rupture.

— Oui, nana, c'est le grand soir ! s'exclama Gillian, le téléphone coincé entre sa joue et son épaule, tandis qu'elle sautillait dans la pièce en essayant d'enfiler sa chaussure.

— Est-ce qu'il t'a déjà dit qu'il t'aimait ? demanda Evelyn Harris, la femme qui l'avait élevée.

— Non.

— Cela fait quarante-huit ans que tous les soirs, lorsque nous nous couchons, ton grand-père me dit qu'il m'aime.

— Je sais, nana.

Mais Maks était un autre genre d'homme. De ceux qui dissimulent leurs émotions. Il le faisait par devoir, comme si cela aussi était un impératif royal. Son masque ne tombait que lorsqu'ils faisaient l'amour. Dans ces moments-là, il ne pensait qu'à combler la femme qui partageait sa couche. Et depuis six mois, cette femme, c'était elle.

Ils étaient sortis ensemble pendant un mois environ avant de faire l'amour pour la première fois. Elle avait d'abord trouvé cela étrange, étant donné la réputation de Maks, puis elle avait découvert qu'aussi curieux que cela puisse paraître il attendait d'elle davantage qu'une simple étreinte.

Elle avait alors été partagée entre la stupéfaction et l'excitation.

Gillian n'appartenait pas à la haute société. Elle n'était ni riche ni influente, mais il lui arrivait régulièrement d'assister à des mondanités en compagnie de son père. C'était un homme très pris, et faute de mieux, Gillian acceptait d'être sa cavalière dans des pince-fesses mondains.

C'était ainsi que la banale fille du grand journaliste

avait eu son content de dîners somptueux et de baise-mains de diplomates.

Aussi avait-elle été la première surprise lorsque le prince royal Maksim Yurkovitch de Volyarus s'était intéressé à elle. Par la suite, au contact de Maks et de sa mère, la reine, elle avait compris que les têtes couronnées ne cherchaient pas nécessairement chaussure à leur pied parmi la haute société. Gillian s'était cependant attendue à ce qu'il souhaite s'unir à une femme dotée d'un tempérament plus en phase avec ses futures obligations.

Le contraste était saisissant entre lui et elle, une fille issue d'une petite ville de l'Alaska, qui gagnait sa vie « en photographiant des boîtes de chocolat », comme disait son père.

Son passé n'avait rien d'extraordinaire. Ses parents avaient divorcé très tôt, sans montrer grand intérêt pour leur progéniture. Ils s'étaient mariés par commodité juste avant sa naissance, pour se séparer dans l'année qui avait suivi.

— Je vais raccrocher, ma chérie, tu as encore la tête dans les nuages…

Gillian ramena ses cheveux derrière son oreille et ajusta le téléphone contre sa joue.

— Désolée, nana, je ne voulais pas te donner l'impression… d'être ailleurs.

— Je sais bien que, dès que tu penses à Maks, ta tête est ailleurs.

— Tu exagères !

Nana émit un bruit de gorge afin de marquer son désaccord.

— Je veux que ce garçon te dise qu'il t'aime avant d'envisager le moindre mariage !

— Ce n'est plus vraiment un *garçon*, nana, précisa Gillian comme elle l'avait déjà fait par le passé… sans résultat.

— J'ai soixante-quinze ans, Gillian, à mes yeux, c'est un gamin.

— Il y a des gens qui ne disent jamais « je t'aime », tu sais, précisa-t-elle en revenant à leur principal sujet de préoccupation.

— Alors c'est qu'ils manquent de jugeote, c'est tout.

— Rich ne me l'a jamais dit, mais je sais qu'il m'aime.

Ce n'était qu'à moitié vrai. Son père ne le lui avait jamais dit, mais elle ignorait s'il avait effectivement des sentiments pour elle. Rich Harris était un homme peu démonstratif, qui se contentait de faire le minimum auprès de sa fille unique. Il s'était cependant assuré de lui offrir un foyer et tout l'amour dont elle avait besoin.

— Ton père est un idiot, malgré tous ses prix Pulitzer.

Gillian éclata de rire. Sa grand-mère ne pensait pas ce qu'elle disait. Elle était très fière de son fils et elle nourrissait l'espoir qu'il prenne un jour pleinement sa place en tant que père. Gillian savait qu'il ne fallait pas y compter, mais elle voulait ménager sa grand-mère. Elle l'aimait trop pour lui faire de la peine ainsi.

— S'il t'entendait, il serait capable de venir en personne te montrer de quel bois il se chauffe !

— Qu'il vienne, j'ai une cuillère de bois et je sais m'en servir !

Gillian avait grandi sous la gentille menace de cette fameuse cuillère de bois, dont personne n'avait jamais vu la couleur.

— Je t'assure, Gillian, je me demande parfois ce qui lui passe par la tête…

— C'est quelqu'un de bien, mais l'esprit de famille ne fait pas partie de son paysage, voilà tout.

— Oui, eh bien paysage ou pas, il se trouve qu'il a une fille !

— Je sais bien.

Toute sa vie durant, elle avait vécu en sachant qu'elle

n'avait pas été désirée et que son père n'était pas prêt à sacrifier quoi que ce soit pour elle.

— Je n'aime pas te voir comme ça, se lamenta nana en employant ce ton que Gillian détestait.

C'était la porte ouverte à son habituelle rengaine du *je-suis-inquiète-pour-toi-ma-chérie*. Dans ces cas-là, sa grand-mère était prête à tout laisser en plan et à sauter dans le premier avion pour Seattle afin de s'assurer que Gillian allait bien.

— Je vais bien, nana, je vais même mieux que bien.

C'était même un euphémisme : elle s'apprêtait à épouser l'homme de ses rêves !

— Pas la peine de me faire la leçon, je t'assure, insista Gillian.

Ce dont elle avait besoin, c'était que Maks montre de l'intérêt pour elle, qu'il la fasse passer en priorité. Et il s'y employait ! Malgré une vie trépidante sous le feu des projecteurs, il parvenait à ne jamais annuler un rendez-vous, à ne jamais être en retard et à ne jamais considérer la carrière de photographe de Gillian comme un simple passe-temps.

— Mmm…

Nana ne semblait pas convaincue. Et son soupir confirma la crainte de Gillian : sa grand-mère allait certainement dire deux mots à son futur époux. Maks devrait de toute façon se faire aux manières de nana puisque Gillian et lui allaient se marier…

— Est-ce que vous profitez bien de Las Vegas, papy et toi ? demanda-t-elle pour changer de sujet.

— Il a perdu de l'argent aux tables de black jack, mais j'en ai gagné aux machines à sous, affirma-t-elle avec fierté à sa petite-fille.

— Est-ce que votre dîner avec Rich est toujours prévu pour la semaine prochaine ?

— Il n'a pas envoyé de SMS pour annuler en tout

cas, répondit nana sans chercher à cacher son dégoût pour ce mode de communication.

— Parfait.

— J'imagine que nous aurons de bonnes nouvelles à lui annoncer ?

— Sans doute.

Soudain, on sonna à la porte d'entrée.

— C'est lui ! Je te laisse…

— On se rappelle demain, tu n'oublies pas, hein ?

— Oui, nana, avec de bonnes nouvelles !

Gillian alla ouvrir, le sourire aux lèvres et, en passant devant la console de l'entrée, elle avisa l'enveloppe couleur crème : ses résultats d'analyses. Elle n'avait pas encore eu le temps de les lire. Elle faisait un bilan complet chaque année à la demande de son père, depuis qu'elle avait frôlé la mort à l'âge de seize ans à la suite d'une crise d'appendicite. Et, cette fois-ci, c'était aussi à la demande de Maks…

Du haut de son mètre quatre-vingt-dix, Maks était très séduisant dans son costume Armani noir. Mais sa mine lui parut sombre.

— Tu es en avance, fit-elle remarquer en souriant.

— Et pourtant, tu es déjà prête. Tu es vraiment une femme pas comme les autres, Gillian Harris.

Il avait parlé sans sourire, mais son regard aussi noir qu'un expresso glissa le long de son corps comme une caresse.

Il faisait toujours ça et, chaque fois, elle avait le sentiment de surclasser tous les mannequins du monde, malgré sa taille moyenne et ses formes plutôt généreuses.

Elle recula pour le laisser entrer.

— Nana n'aimait pas qu'on la fasse attendre, expliqua Gillian.

— Et tu avais tellement hâte de me voir que tu t'es habillée très en avance, la taquina-t-il.

— Oui, il y a de ça aussi, concéda-t-elle en souriant.

Il se pencha vers elle et déposa un baiser sur ses lèvres. Elle entrouvrit la bouche pour laisser leurs souffles se mêler de façon sensuelle.

Maks gémit et intensifia son baiser. Il la serra contre lui, tout en pénétrant dans l'appartement. Comme chaque fois, le temps sembla s'arrêter pour Gillian, et l'univers se résuma pour elle à cette bouche contre la sienne, à ce corps touchant le sien. Maks fit un pas en arrière et tous deux se regardèrent, le souffle court.

Il sembla remarquer l'enveloppe beige près de la porte. Elle l'avait ouverte, mais le coup de fil de nana l'avait interrompue avant qu'elle n'en consulte le contenu. Elle n'était pas inquiète. A vingt-six ans, elle était encore jeune et elle menait une vie saine, sans le moindre signe de maladie à l'horizon. Pour cela comme pour le reste, nana veillait au grain, et parfois Gillian se surprenait à apprécier que cette dernière vive au Canada.

— Tu as eu tes résultats, fit remarquer Maks d'une voix étrangement neutre.

Elle acquiesça tout en le précédant dans le salon.

— Tu veux boire quelque chose avant de partir ?

— Je prendrai un Old Pulteney, si tu en as.

— Tu sais bien que j'en ai toujours.

Elle conservait en permanence une bouteille de ce whisky single malt de vingt et un ans d'âge depuis qu'elle savait que c'était son breuvage préféré.

Elle lui en versa deux doigts dans un verre, sans glace, et le lui tendit.

Maks la remercia en avalant une gorgée plus longue que d'habitude. Cette marque de nervosité chez un homme tel que lui était tout à fait charmante, songea-t-elle en souriant.

— Tu ne m'avais jamais dit que tu avais eu l'appendicite ?

— Tu ne m'as jamais posé la question.

16

Il avait dû voir la cicatrice, même si elle était très discrète.

Curieux que son bilan de santé en fasse mention, d'ailleurs… Le médecin de Maks avait mené une investigation plus poussée que celle de son propre généraliste, manifestement. Elle ne fut cependant pas surprise de constater que Maks avait lu le dossier avec une attention absolue.

Cela lui ressemblait tant !

Il fronça les sourcils en avalant une seconde lampée, et Gillian se demanda pourquoi son appendicite le contrariait à ce point. Elle se versa un verre de soda avec une tranche de citron, sa boisson préférée. Peut-être Maks était-il comme son propre père, et l'idée de savoir qu'elle avait frôlé la mort le glaçait d'effroi.

La seule fois où elle avait lu une réelle inquiétude sur le beau visage de vedette de cinéma de son père fut le jour où il était venu lui rendre visite à l'hôpital. Rich n'aimait pas être confronté aux incidents qui jalonnaient la vie de sa fille, et elle supposa qu'il en était de même pour Maks, aussi ne fit-elle aucun commentaire.

— Où m'emmènes-tu dîner ?

Il lui avait dit qu'il l'emmènerait dans un endroit spécial. Si elle mettait cela en relation avec les résultats des examens, il semblait logique qu'il ait l'intention de faire sa demande ce soir.

Et elle avait bien l'intention d'accepter.

Elle était amoureuse de lui — même si elle ne le lui avait jamais avoué — elle ne l'avait même pas dit à nana. Curieusement, exprimer son amour à voix haute lui semblait très compliqué.

— Nous allons au Rennet.

C'était le premier restaurant dans lequel il l'avait invitée. Certes, Maks non plus ne lui avait jamais avoué son amour mais, même s'il s'en défendait, c'était un grand romantique.

— Génial, j'adore leur cuisine !

Et puis le chef, qui était aussi le propriétaire, avait un faible pour leur couple. Dîner là-bas était toujours un enchantement et cela ne fit que renforcer sa certitude d'une demande en mariage.

— Je sais que tu l'apprécies.

Encore une fois cette mine sérieuse, austère. Le déclic se fit alors dans l'esprit de Gillian : évidemment qu'il était sérieux ! L'enjeu de la soirée était important...

Elle, qui n'avait pas été nerveuse jusque-là, fut saisie d'un léger vertige. Elle allait se fiancer à un prince et, pour la première fois, elle songea à ce à quoi pouvait ressembler la vie d'une princesse.

C'était une perspective enivrante.

Jusque-là, sur les conseils de nana, elle avait évité de se projeter trop loin, mais le comportement mystérieux de Maks l'incitait tout à coup à le faire. Oui, elle était prête à endosser son nouveau rôle et à vivre la moitié de l'année en mer Baltique, dans la principauté de l'île de Volyarus.

Elle l'aimait.

Maks était *son* homme.

Elle était déterminée à passer le reste de ses jours en compagnie de Maksim de la maison de Yurkovitch, prince héritier de Volyarus.

2.

Le dîner fut succulent. Et même si Maks ne parvint jamais à se départir de son air sérieux, il se montra aussi charmant et courtois qu'à l'habitude.

A plusieurs reprises, il sembla sur le point d'aborder *le* sujet important, mais se ravisa chaque fois.

A mesure que le repas avançait, Gillian se sentait de plus en plus amoureuse du prince de ses rêves, tout en se laissant gagner malgré elle par une nervosité croissante.

Après le dîner, il l'emmena écouter un concert de jazz. Les musiciens vivaient leur musique, ils ne se contentaient pas de l'interpréter. Gillian fut presque soulagée que le volume sonore empêche toute discussion, car la musique avait sur Maks un effet apaisant ; il semblait enfin se détendre un peu. Une fois le concert terminé, il accepta de terminer la soirée chez elle.

Après avoir refermé la porte de l'appartement, il l'aida à se débarrasser de son manteau qu'il posa sur une chaise et resta planté là, mal à l'aise. Cela lui ressemblait si peu que Gillian prit les choses en main en lui proposant un verre.

— Ce n'est sans doute pas une bonne idée, objecta-t-il.

— Tu n'es pas obligé de conduire pour rentrer... Tu n'es même pas obligé de rentrer.

Elle lui proposait de passer la nuit avec elle, comme elle l'avait fait un nombre incalculable de fois. D'ordinaire il ne refusait que lorsqu'il avait des rendez-vous très tôt le lendemain ; il n'aimait pas la réveiller à l'aube pour rien.

Son hésitation la prit donc par surprise.

— Tu crois vraiment que c'est la chose à faire ? dit-il.

Maks semblait penser qu'à l'approche du mariage elle préférerait sans doute rester un peu seule. En tout cas elle n'avait pas l'intention de jouer les oies blanches lorsque leur future union ferait la une des journaux. Elle avait certes apprécié la discrétion de Maks à ce sujet, mais ils devraient nécessairement laisser éclater la vérité au grand jour sous peu.

Cette idée ne la gênait pas mais, pour autant, elle n'avait pas l'intention d'endosser le rôle de la jeune vierge innocente.

— Oui, je pense que tu devrais rester.

— Il faut qu'on parle.

— Après, si tu veux bien.

Elle avait besoin de lui avouer son amour, même si cela ne faisait que retarder la demande en mariage.

Elle lui avouerait ses sentiments pendant qu'ils feraient l'amour et, ensuite, il pourrait lui demander de passer le reste de sa vie avec elle.

— Tu es sûre de toi ? insista-t-il.

Elle ignorait d'où lui venait ce besoin impérieux de s'ouvrir à lui, mais elle ne pouvait pas envisager de devenir sa femme sans lui avoir dit : « je t'aime ».

Et tant pis si elle ne parvenait pas à le dire avec des mots ! Son corps s'en chargerait pour elle.

Trois mots. Trois simples mots. Mais elle aurait presque eu plus de facilité à danser nue, debout sur une table au Rennet, qu'à les prononcer pour lui.

A l'exception de ses grands-parents, avec qui elle parlait sans pudeur, on ne disait pas facilement « je t'aime » dans sa famille. Quand avait-elle avoué ses sentiments à ses proches pour la dernière fois ? Elle n'avait déclaré son amour à aucun homme avant Maks. Cela dit, elle n'avait jamais été vraiment amoureuse avant lui… Son cœur était une véritable forteresse.

Avec Maks, sa sensualité parlerait pour elle et, d'une manière ou d'une autre, il saurait qu'elle l'aimait à l'issue de cette nuit.

— Tu es unique, tu le sais ?

Non, elle n'avait rien d'extraordinaire, mais elle aimait la façon qu'il avait de la contempler comme un trésor. Et puis il valait mieux qu'il la tienne en haute estime, sans quoi leur vie à deux risquait d'être plutôt morne !

Dans son regard de femme amoureuse, Maks était lui-même un homme à nul autre pareil.

— Viens, dit-il en la prenant par la main pour la guider vers la chambre, j'aimerais te faire l'amour dans un endroit douillet.

Ils s'étaient déjà aimés dans le salon, mais elle trouva logique qu'il veuille faire de cet instant — cette nuit — un événement spécial. Sans doute avait-il du mal à se livrer, lui aussi. Sans doute était-ce sa façon de lui montrer combien il tenait à elle.

Elle laissa de côté ses réflexions et le suivit dans la chambre baignée d'ombre. Maks lui lâcha la main pour aller allumer la lampe de chevet en forme de statue de bronze. La lumière vint frapper les vases transparents disposés tout près, dispensant dans la chambre une douce clarté filtrée par les pétales des lilas.

Accroché au mur juste au-dessus de la lampe, il y avait cette toile que Maks lui avait offerte. Elle représentait une femme blonde, la tête légèrement penchée. Elle se tenait debout dans un champ de fleurs. Maks trouvait qu'elle lui ressemblait.

Pour sa part, elle trouvait le personnage un peu trop éthéré pour s'y identifier, mais qu'importe, l'idée lui plaisait. Il se tourna vers elle, son beau front barré d'une ride soucieuse.

— Tu me fais un cadeau magnifique, soupira-t-il, et j'en avais vraiment besoin.

Elle lui sourit, submergée par cet amour qu'elle était impuissante à exprimer. Maks sembla lire dans ses pensées, car il approcha d'elle, l'entraînant dans un baiser passionné. Puis il recula et tous deux se perdirent dans la contemplation de l'autre, haletants. Il la prit alors dans ses bras.

— Tu embrasses merveilleusement bien.

— A moins que ce ne soit toi, la taquina-t-il en retrouvant de façon fugitive un peu de sa vraie personnalité.

— C'est toi le plus expérimenté de nous deux.

Elle n'était plus vierge lorsqu'ils s'étaient rencontrés, mais elle avait si peu d'expérience que cela méritait à peine d'être mentionné. Elle avait eu deux aventures à l'université, qui n'avaient pas été concluantes, de sorte qu'elle ignorait comment donner du plaisir à un homme. Maks ne s'en était jamais agacé et avait même pris un grand plaisir à lui enseigner la façon de mettre leurs deux corps au diapason.

— Je suis bien comme ça, contre toi, soupira-t-il avec un étrange accent de tristesse.

Non, elle devait se faire des idées, il n'avait aucune raison d'être triste. A moins qu'il ne soit de ces hommes qui vivaient avec la crainte qu'une fois mariés le sexe soit absent de leur existence ? Elle se ferait un plaisir de le rassurer sur ce point ! Gillian était une femme de son siècle. A ses yeux, les femmes devaient faire l'amour aussi souvent que possible et y prendre du plaisir. Elle garda ces idées pour elle tout en le débarrassant de son costume. Il l'y aida en enlevant ses chaussures et ses chaussettes, avant de s'en prendre à sa robe.

— Tu en as très envie, on dirait ?

— Tu n'as pas idée…, marmonna-t-il en arrachant presque sa robe.

Il lui ôta son soutien-gorge et sa culotte sans même

prendre le temps d'apprécier le choix de ses sous-vêtements, comme il avait coutume de le faire.

Quelques secondes plus tard, Maks la dévorait des yeux et elle sentit son corps réagir à ce regard fiévreux. Ses tétons se durcirent encore un peu plus et elle sentit une vague de chaleur inonder son ventre.

Prise d'une fièvre soudaine, elle frémit de désir.

Ils s'étaient à peine effleurés, et pourtant elle avait envie de lui comme jamais elle n'avait désiré aucun homme. Elle le voulait ici et maintenant. La perspective que cette étreinte serait suivie d'innombrables autres tout au long de leur vie commune ne fit qu'accentuer son désir.

Elle lut dans le regard du prince qu'il éprouvait des sentiments pareils aux siens, qu'il se languissait d'explorer avec elle.

Sans plus réfléchir, elle se lova contre lui et le laissa la soulever de terre pour la mener jusqu'au lit, qu'il défit sans même la reposer au sol. Elle s'agrippa à son cou tout en dévorant son visage de baisers. Le parfum subtil de son eau de Cologne Armani mêlé à son odeur naturelle déclencha chez Gillian une avalanche de sensations brûlantes qu'elle ne chercha pas à endiguer.

Son corps se préparait à l'accueillir, et elle adorait ça. Elle répondit instinctivement à ses caresses tandis qu'il l'allongeait sur le matelas.

— Tu es tout ce dont j'ai envie, murmura-t-il contre son oreille.

Les mains de Maks glissaient sur ses courbes et elle s'abandonna à ce ballet sensuel. L'instant était absolument magique. Elle en vint même à se demander comment leur nuit de noces pourrait rivaliser avec cet enchantement. Elle lui rendit ses caresses, dessinant les reliefs de ses muscles puissants, effleurant les poils de son torse.

Maks était incroyable. C'était à la fois un prince de

sang et un homme d'affaires talentueux… et il était à elle. Elle qui s'abandonnait à lui, entièrement nue, elle qui pouvait le caresser à loisir…

— Tes entraînements avec Demyan portent leurs fruits ! Tu es dans une forme exceptionnelle.

Maks eut une moue indéfinissable lorsqu'elle mentionna le nom de son cousin. Il faudrait qu'elle pense à l'interroger à ce sujet… plus tard. L'instant était trop beau, trop important, trop magique pour en briser la belle harmonie. Elle réussirait à lui faire prononcer la phrase définitive, ces trois mots fondateurs.

— Le combat a été particulièrement brutal aujourd'hui, se sentit-il obligé d'expliquer.

— Oui, c'était du sérieux, on dirait, ajouta-t-elle en passant le doigt sur un hématome qu'elle venait de remarquer.

— Ce n'est rien, laissa tomber Maks avec sa fierté habituelle.

Jamais il n'aurait admis que Demyan pouvait le battre sur un ring. Son cousin était un homme intrigant, difficile à cerner, mais, bien que son aîné, il s'entendait à merveille avec Maks, et Gillian appréciait que son homme ait quelqu'un de confiance dans son entourage. Dans son monde, c'était un privilège extrêmement rare. Gillian connaissait les codes qui régissaient cet univers pour avoir navigué dans ces eaux troubles, dans le sillage de son père.

Elle se pencha en avant et déposa un baiser sur sa chair meurtrie.

— Hum… c'est bon…

Maks aimait qu'elle le dorlote, et ce plaisir était réciproque, mais l'heure n'était plus aux cajoleries, comprit-elle lorsqu'il la fit rouler sur le dos. Il se coucha sur elle, comme un mâle protégeant sa femelle, et plongea le regard dans le sien avec une intensité inédite.

— Tu es parfaite pour moi. Trop parfaite…

Elle secoua la tête. Qu'est-ce qu'il racontait ?

Maks l'embrassa alors, dissipant toute interrogation. Il l'embrassa comme un enragé, comme si elle lui appartenait corps et âme, et Gillian répondit à sa passion avec une fougue égale à la sienne. Leur baiser grandit en douceur et en sensualité, jusqu'à ce que leurs corps se consument d'un feu puissant, annihilant toute pensée construite. Ils n'étaient plus que deux corps à l'unisson. Elle avait besoin de le sentir en elle.

Maks eut un mouvement de recul inattendu quand elle l'attira plus près.

— Pas tout de suite.

— Si…

Il secoua la tête sans cesser de la fixer de ce regard animal. Il reprit ses caresses, sans chercher à masquer son intention de la rendre folle de désir.

Il commença par ce petit endroit sous la voûte de son pied, et elle frissonna quand il remonta jusqu'à l'intérieur de sa cuisse, puis sur ses hanches, avant de porter toute son attention sur ses seins. Il les caressa longuement, avant de consentir à prendre l'un de ses tétons dans sa bouche, qu'il mordilla avec douceur.

Gillian cria, saisie par un orgasme qui arracha un petit rire satisfait à Maks. Prise de frémissements incontrôlés, elle le sentit lui pincer l'autre sein, sans qu'il cesse de se préoccuper du premier. Gillian se cambra et enroula les jambes entre les draps, le suppliant de la prendre… Alors, doucement, Maks entra en elle.

C'était la première fois qu'il ne se protégeait.

Elle pouvait tomber enceinte, songea-t-elle. Curieusement, cette idée ne fit que l'exciter encore davantage, au point qu'elle jouit aussitôt. Maks ne ralentit pas la cadence pour autant et Gillian ne lui demanda pas de le faire. Il accentua ses va-et-vient et elle jouit une seconde fois, si fort que son dos se cabra sur le matelas. Maks ne se laissa pas désarçonner et émit un gémissement de pure satisfaction masculine en la sentant défaillir.

— Merci…, haleta-t-il en lui offrant un regard si intense qu'elle sentit de nouveaux spasmes la traverser.

Elle secoua la tête, incapable de prononcer la moindre parole, pas même ces trois mots qu'elle s'était juré de lui offrir. Etaient-ils seulement nécessaires, après ça ? Elle avait été suffisamment explicite. Un homme ne pouvait pas faire l'amour à une femme avec une telle intensité sans ressentir ses émotions les plus intimes.

— J'aurais dû te demander avant, pour le préservatif, reprit-il.

— Non, ne t'inquiète pas.

Elle ne voulait plus de barrières entre eux, si infimes soient-elles.

— J'aimerais passer la nuit avec toi, affirma-t-il en roulant sur le côté, la mine sombre, ça ne t'ennuie pas ?

— Au contraire.

Etrange, qu'il ressente le besoin de lui poser la question… Peut-être l'intensité du moment ? Il faudrait qu'elle prenne le temps d'y réfléchir.

Elle se réveilla entre les bras puissants de Maks. Au rythme de son souffle, elle comprit qu'il était réveillé. C'est alors que, sans prévenir, les mots lui vinrent. Elle s'assit face à lui et, dans la lumière diffuse du matin, elle osa déclarer :

— Je t'aime, Maks.

Et voilà, rien de plus facile ! C'était venu tout seul, mais elle avait maintenant du mal à soutenir son regard, d'autant qu'il semblait sincèrement remué par son aveu.

C'était incompréhensible. Comment pouvait-il ignorer ce qu'elle ressentait pour lui après la nuit qu'ils venaient de partager ? Peut-être avait-elle mal choisi son moment ?

Elle n'avait jamais dit « je t'aime » à un autre homme

et elle ignorait si, dans l'univers de Maks, ces choses obéissaient à un protocole strict. Cela aurait été grotesque, mais elle avait déjà été confrontée à certaines règles absurdes liées à son statut de prince. Heureusement qu'elle l'aimait, sinon comment supporter toute cette mascarade ?

Elle s'allongea de nouveau à son côté et vint se blottir contre lui.

— Je pourrais passer ma vie comme ça, soupira-t-elle.

— Dommage que cela soit impossible.

Elle entendit les mots tomber de sa bouche, mais sans en comprendre vraiment le sens, son esprit encore empli des souvenirs érotiques de la veille et de l'aveu — sans doute maladroit — qu'elle venait de faire.

Au moins il ne s'était pas moqué d'elle, c'était déjà ça…

Cela faisait partie de ses grandes qualités. Il ne se moquait jamais de quiconque, même s'il n'était pas avare de petites taquineries.

— Hier soir… c'était merveilleux, s'enthousiasma-t-elle.

— Oui, répondit-il avec une incompréhensible froideur.

Il devait être fatigué.

Oui, c'était certainement ça.

Il n'avait pas ménagé ses forces, la nuit dernière… Au point qu'elle doutait de pouvoir y survivre si toutes les suivantes se révélaient aussi intenses.

Ils ne s'étaient pas endormis après leur première étreinte, et avaient fait trois fois l'amour durant la nuit. Maks ne s'était jamais révélé aussi insatiable et elle ne s'était jamais sentie aussi libre de répondre à ses audaces. Il s'était montré avide de la caresser autant que de se perdre en elle, et elle avait savouré chaque seconde de cette danse brûlante.

— Je suis désolé, dit-il enfin.

Elle aurait préféré ne pas comprendre, mais c'était trop évident. Elle pouvait lui dire que ce n'était pas grave, qu'il n'avait pas besoin de lui avouer ses sentiments tant qu'il lui ferait l'amour avec autant de fougue.

— Pas la peine de t'en faire, le réconforta-t-elle, ravalant sa déception.

Elle se redressa et leurs regards se rencontrèrent. Maks s'était refermé et se tenait droit, trop droit.

— Si. Je crois que ce que nous avons fait cette nuit était une erreur.

Il sembla aussitôt regretter ce qu'il venait de dire. A juste titre, songea-t-elle. Qu'il ne lui avoue pas son amour, passe encore, mais de là à nier ce qui s'était noué entre eux la nuit passée ?

Une pensée fulgurante lui traversa alors l'esprit.

— Tu veux que l'on fasse semblant de ne pas coucher ensemble, qu'on fasse comme si de rien n'était aux yeux du monde ?

Est-ce que c'était ça, le problème ? Cela l'ennuyait donc à ce point de se montrer avec elle ?

— Nous vivons des instants magiques, toi et moi, répondit-il. Je refuse de jouer la comédie, ce serait malhonnête envers toi.

— Je ne comprends pas, tu veux… qu'on arrête de se voir ?

Ainsi, il voulait sauver les apparences jusqu'au mariage ? Une union royale, c'était une année de préparatifs, voire deux. Pas étonnant qu'il se soit montré si empressé s'ils devaient s'abstenir de s'aimer aussi longtemps !

Mais, dans ce cas, pourquoi ne pas avoir mis de préservatif ? Voulait-il qu'elle tombe enceinte afin de hâter le mariage ? Cela ne lui ressemblait pas, car il était plutôt du genre à aborder les choses de front.

— Si nous continuons à nous voir, cela ne fera que rendre notre inévitable rupture plus douloureuse encore. Sans compter que les médias risquent de monter l'affaire en épingle. Jusqu'ici, ils nous ont fichu la paix, mais…

Les manœuvres souterraines de son père pour museler

la presse et leur prudence à tous les deux y étaient sûrement pour beaucoup, songea-t-elle avant que le mot *rupture* ne lui revienne à l'esprit, comme un boomerang.

— Rupture ? répéta-t-elle, désemparée. Mais... pourquoi nous séparer ?

Ils allaient se marier, non ?

— Notre séparation est inévitable, Gillian. J'espère que tu comprends...

3.

— Que veux-tu dire… ? parvint-elle à articuler, la gorge serrée par l'émotion.

— Je ne peux pas épouser une femme incapable de donner un héritier au trône. Je sais que c'est injuste, mais c'est ainsi.

— Comment ça, je suis incapable de donner un héritier au trône ? répéta-t-elle, incrédule, et de plus en plus gênée d'avoir cette conversation alors qu'elle était nue dans un lit avec lui.

Maks poussa un soupir et s'installa plus confortablement, tout à fait à l'aise avec sa propre nudité, puisqu'il ne prit pas la peine de se couvrir.

— Tu m'as dit que tu avais lu tes résultats d'analyses.

— J'ai dit que je les avais *reçus*, corrigea-t-elle. Nuance.

— J'ai vu l'enveloppe ouverte.

— Nana m'a téléphoné au moment où je l'ouvrais, j'y ai juste jeté un coup d'œil.

— On pourrait imaginer que, pour quelque chose d'aussi important, tu prennes le temps de faire davantage que *jeter un coup d'œil*.

Maks n'adoptait ce ton que lorsqu'il était vraiment contrarié.

Pourquoi lui parlait-il ainsi ?

— Je suis en pleine forme. Rien à signaler depuis mon appendicite, à l'âge de seize ans.

— Opération qui a endommagé tes trompes, compléta-t-il avec exaspération.

Endommagé mes trompes ? Mais de quoi parlait-il, enfin ?

Gillian se leva brusquement, incapable de tolérer plus longtemps une intimité troublée par la violence de cette discussion. Elle attrapa sa robe de chambre et l'enfila avec une telle rapidité qu'elle fut surprise de ne pas déchirer la manche. Elle s'éloigna du lit, mettant autant de distance que possible entre elle et lui.

— Mais… de quoi parles-tu ?

— Il y a très peu de chances que tu puisses tomber enceinte, expliqua-t-il avec tristesse.

— Mais il y a des traitements pour améliorer la fertilité, tu y as pensé ? contra-t-elle.

Alors c'était ça ! Elle était déficiente et donc indigne de devenir son épouse ? Ce qu'ils avaient vécu la nuit dernière n'était pas la promesse d'un avenir qui s'ouvrait à eux, mais un adieu. Tout ce qu'elle avait pris pour des signes d'attachement signifiait exactement l'inverse.

— Tu pourras envisager ce genre de traitement… avec quelqu'un d'autre, répondit-il comme s'il lui annonçait une bonne nouvelle.

— Mais pas avec toi ?

— T'épouser en sachant que nous serions contraints d'y avoir recours ne serait pas une sage décision si l'on considère ma position au sein de la maison royale.

— Ce n'est pas la maison royale que j'épouse, c'est toi ! s'écria-t-elle.

Elle n'épouserait personne, comprit-elle en sentant ses jambes la trahir. Ils pouvaient parler pendant des heures, la vérité, c'était qu'elle allait perdre Maks.

— C'est faux. Je suis un prince, destiné à devenir roi un jour. Je suis né pour porter une charge qu'aucun dirigeant élu ne peut même imaginer. Ils n'occupent leur poste que de façon temporaire, alors que je devrai me préoccuper du bien-être de mon pays chaque jour de ma vie, et consacrer tout mon temps à mon peuple.

Gillian en était bien consciente. Volyarus était l'une des dernières monarchies encore en place et, en tant que prince royal, Maks ne disposait pas de sa vie. Il n'en restait pas moins qu'il devait malgré tout assumer ses choix.

— Tu ne m'aimes pas…

Il l'appréciait, il la désirait, il serait même sans doute sincèrement peiné de leur séparation, mais *il ne l'aimait pas*.

— L'amour n'est pas un luxe que je peux me permettre.

— Il ne s'agit pas de se permettre quoi que ce soit. L'amour, tu le ressens ou tu ne le ressens pas, c'est tout !

Depuis l'enfance, Gillian savait que l'on ne pouvait pas forcer quelqu'un à vous aimer. C'était un sentiment que l'on ne pouvait ni provoquer ni endiguer, songea-t-elle en repensant à ses grands-parents, à ses parents et à Maks, dans un tourbillon d'émotions qui lui déchira l'âme.

— Tu m'as avoué ton amour et je suis désolé de ne pouvoir en faire autant, dit-il avec une sincérité qui ne fit que peiner Gillian davantage.

Une douleur autant physique qu'émotionnelle s'empara d'elle. Tout à coup, c'était comme si des murs se refermaient autour de son cœur ; elle avait du mal à respirer. Ce fut un miracle si elle parvint à se tenir debout.

Il était *désolé*…

Elle aurait voulu hurler, pleurer, mais elle se contenta de demeurer stoïque alors que son cœur était réduit en miettes.

— Va-t'en…, ordonna-t-elle d'une voix à peine audible.

— Tu ne penses plus de façon rationnelle, Gillian…

— Tu as toujours pris soin de nous tenir éloignés des médias, depuis notre premier rendez-vous.

— C'est vrai.

Elle ne prit même pas la peine de lui demander pourquoi, elle n'avait plus envie de l'écouter. Elle voulait juste qu'il parte afin de pouvoir exprimer librement sa douleur sans qu'il en soit témoin.

— Si j'appelle le service de sécurité de l'immeuble pour te virer de mon appartement, ça risque d'attirer les journalistes, tu ne crois pas ?

Maks écarquilla les yeux.

— Tu ne vas pas faire ça ?

Décidément, il la connaissait bien mal ! Faisant volte-face, elle appuya sur le bouton d'alerte situé sur le mur de la chambre.

— Tu as une minute, peut-être deux, avant qu'ils n'arrivent. Mais si ça ne t'ennuie pas d'être vu avec moi, tu peux rester ! lança-t-elle en s'éloignant et en prenant garde de ne pas élever la voix de peur de se mettre à hurler de douleur.

Jamais elle ne s'était laissé à ce point submerger par ses émotions, et ce n'était pas aujourd'hui qu'elle allait commencer. Pas devant lui, alors même qu'il venait de piétiner ses sentiments. Elle l'entendit jurer en ukrainien tandis qu'il se rhabillait à la hâte.

Il s'arrêta sur le seuil.

— Je suis vraiment désolé, lança-t-il avant de sortir pour de bon.

Elle se retrouva seule. Enfin...

Submergée par l'émotion, elle se laissa tomber au sol. Tous les rêves qu'elle avait faits ces derniers mois venaient de s'effondrer, emportant tous ses espoirs et ses projets.

Neuf semaines plus tard, Gillian était assise sur le banc d'un jardin public. Elle sortait tout juste de chez son médecin et elle essayait de prendre la mesure de ce qu'elle venait de lui annoncer, en fixant d'un regard vide les immeubles qui cernaient le minuscule carré de verdure.

— Vous êtes enceinte, avait-elle dit.

Mais c'était impossible… Ou du moins très improbable. Et néanmoins vrai, il fallait bien se rendre à l'évidence : elle était enceinte de neuf semaines exactement.

Une seule nuit d'amour sans préservatif lui avait suffi pour concevoir un enfant avec un homme qui l'avait congédiée de manière aussi cavalière…

Depuis leur rupture, museler ses émotions avait été une lutte de chaque instant. Et voilà qu'elle se retrouvait au pied du mur, pour la première fois de sa vie.

Ou plutôt, la seconde fois.

Elle avait cru mourir de chagrin quand Maks l'avait rejetée, et pas un jour ne passait sans qu'elle repense à son amour pour lui, à ce qu'elle avait perdu, et à quel point il lui manquait.

Petit à petit, elle avait réussi à retrouver un peu de paix. Elle arrivait *presque* à dormir une nuit complète sans faire des cauchemars et, désormais, elle s'était *presque* habituée à la douleur.

C'est du moins ce qu'elle se racontait pour se rassurer.

Le pire, c'était de continuer à espérer, de chercher à ressentir quelque chose — même une petite étincelle d'amour — pour un autre être.

Contrairement à ses parents, Gillian se moquait que cette grossesse n'ait pas été voulue, et souhaitait assumer cet enfant, seule ou accompagnée. Elle l'aimerait — elle l'aimait déjà. Elle l'avait aimé à l'instant où le médecin avait prononcé ces mots impossibles.

Gillian avait insisté pour qu'elle refasse le test, aussi son assistant lui avait fait une seconde prise de sang. Ils avaient même été au-delà, puisqu'ils avaient utilisé un Doppler qui avait permis de localiser et d'entendre le cœur du bébé. Gillian avait poussé un petit cri et s'était presque évanouie en entendant le petit bruit rapide et sourd filtré par l'appareil échographique.

Oui, un petit être était niché dans son ventre. Son bébé...

Le bébé de Maks.

Evidemment, le second test était positif. Sa grossesse semblait tout à fait normale et s'annonçait sous les meilleurs auspices, même si le médecin regrettait qu'elle ait perdu autant de poids ces dernières semaines. Elle rassura cependant Gillian en lui expliquant que beaucoup de femmes maigrissaient au début de leur première grossesse.

Elle l'informa aussi sur le risque de fausse couche et Gillian fut stupéfaite d'apprendre que c'était un drame qui survenait une fois sur cinq environ. C'était un chiffre atrocement élevé pour un pays possédant un tel système de santé.

Le soleil estival dardait ses chauds rayons matinaux, et pourtant Gillian frissonnait.

Enceinte. Elle était enceinte ! En état de choc, elle aurait dû rester au cabinet le temps de se remettre de ses émotions, mais elle avait eu un brusque besoin d'air frais. Elle avait donc dit à son médecin qu'elle allait parfaitement bien, et la praticienne, débordée, n'avait pas insisté pour la garder.

Ce qui s'était produit durant l'heure qui venait de s'écouler était incroyable.

Elle avait pris rendez-vous face à l'insistance de nana, pour faire le point sur l'état de dépression dans lequel l'avait plongée sa rupture avec Maks.

Elle était amoureuse et le lui avait avoué, mais lui... ne partageait pas ses sentiments. Elle avait mis son état récent sur le compte d'une mauvaise grippe et, pour tout dire, elle ne s'était pas préoccupée de sa santé. Si ses grands-parents n'étaient pas passés lui rendre visite, Gillian n'aurait sans doute pris conscience de sa grossesse qu'en voyant son ventre enfler et en sentant les premières contractions.

Nana s'était montrée très inquiète lorsque Gillian lui avait avoué qu'elle souffrait de nausées depuis des semaines. Quant à son médecin, elle avait été surprise que Gillian n'ait même pas envisagé la possibilité qu'une grossesse soit à l'origine de ses troubles.

Cela faisait certes plus de deux mois que son cycle était interrompu, mais il avait toujours été plus ou moins chaotique chez elle, cela n'avait donc rien d'extraordinaire.

Non seulement elle n'était pas stérile, mais elle était tombée enceinte en faisant l'amour une seule fois sans préservatif ! Cet enfant était un miracle…

Maks verrait-il la chose du même œil ? Sans doute pas. Il avait rompu avec elle beaucoup trop facilement pour les accueillir à bras ouverts, elle et son bébé à naître.

Peut-être même refuserait-il de croire qu'il s'agissait du sien, mais elle refusait de prendre le risque d'effectuer une amniocentèse, même si cela lui aurait permis d'établir avec certitude sa paternité. S'il avait des doutes, il attendrait la naissance pour en avoir le cœur net !

Et puis, il y avait ses grands-parents. Ils aimeraient cet enfant, cela ne faisait aucun doute mais, à leurs yeux, le sexe et la conception ne s'entendaient que dans le cadre des liens sacrés du mariage.

Le mieux à faire était sans doute de leur cacher son état le temps de leur court séjour à Seattle, songea-t-elle soudain.

Il y avait peu de chances que sa grossesse ne franchisse pas le cap du premier trimestre, mais elle n'avait pas l'intention d'en parler à quiconque avant cette échéance.

Elle allait donc devoir jouer la fille en pleine forme. Si elle n'était pas suffisamment convaincante, ses grands-parents refuseraient de retourner au Canada la semaine suivante, comme prévu.

Elle raconterait à nana que son médecin lui avait

prescrit quelques vitamines pour compenser sa baisse de forme passagère. Ce ne serait qu'un demi-mensonge puisqu'elle avait une ordonnance pour des vitamines prénatales, plus faciles à digérer pour son estomac devenu fragile. Elle devait aussi prendre de l'acide folique pour favoriser le développement du fœtus.

Le médecin lui avait en outre suggéré un supplément en fer pour contrer une carence manifeste. Ce dernier point serait un excellent argument pour expliquer sa faiblesse.

Maks lui manquait tant que son corps en était venu à s'épuiser de lui-même…

Nana n'y verrait que du feu. Elle était convaincue que cette rupture avait mis Gillian à genoux et n'hésitait pas à le faire savoir. Ce à quoi cette dernière répondait invariablement qu'à son âge il n'était pas extraordinaire d'avoir vécu au moins une peine de cœur. Beaucoup de femmes étaient même déjà divorcées à vingt-six ans…

Par chance, son premier rendez-vous avec l'obstétricien n'aurait lieu que le vendredi suivant, ce qui lui éviterait d'avoir à servir un nouveau mensonge à ses grands-parents.

Maks aboya une réponse à son interlocuteur avant de raccrocher sans prendre la peine de le saluer.

— Imbéciles ! marmonna-t-il.

— A t'entendre, on dirait que tous nos partenaires ont perdu un paquet de neurones durant le mois qui vient de s'écouler, fit remarquer Demyan depuis le seuil du bureau.

Maks prit une profonde inspiration et s'empêcha de lancer une remarque cinglante à son cousin.

— Que puis-je faire pour toi, Demyan ?

— Je dispose d'informations qui pourraient t'intéresser.

— On n'a pas besoin de nouveaux clients pour nos

exploitations de terres rares. Nous avons déjà du mal à honorer les commandes, alors je ne veux pas accélérer l'exploitation.

Et risquer d'endommager l'environnement.

La protection de la nature avait toujours été un souci pour les entreprises Volyarus. Son père avait été un visionnaire dans ce domaine. Aucun pays au monde ne pouvait rivaliser avec leur politique en matière d'écologie.

Yurkovitch Tanner avait également dix années d'avance sur les autres compagnies pétrolières dans la recherche d'énergies de substitution.

En tant que directeur général, Maks avait pour mission d'assurer la continuité de cette politique.

— Aux dernières nouvelles, la production de nos fermes éoliennes est conforme aux prévisions, non ?

— Je ne viens pas te parler affaires.

— Si c'est pour me dire que père et la comtesse sont en voyage secret aux îles Caïmans, ne te fatigue pas, je suis au courant, railla Maks. Pourquoi crois-tu que je retourne à Volyarus demain ? Je vais devoir jouer les régents pendant le mois qu'il va passer hors de nos frontières.

Comme si le poste de directeur de Yurkovith Tanner n'était pas suffisamment accaparant…

Cela dit, son père était parvenu à concilier les deux après la mort de ses propres parents et avant que Maks n'en vienne à occuper le poste, à l'âge de vingt-six ans. Le roi Fedir aurait très bien pu engager quelqu'un pour assurer l'intérim, mais son père avait tenu à s'occuper en parallèle de l'entreprise et du gouvernement.

— Ta mère sera ravie de t'avoir auprès d'elle.

— Plus que d'avoir à supporter mon père, oui, je sais.

Maks encaissait mal la mésentente de ses parents, surtout lorsque la chose devenait publique, même s'il était de notoriété publique que leur couple n'était qu'une façade.

Sa mère et son père vivaient séparés, sauf lorsque le protocole l'exigeait.

Demyan vint s'asseoir à l'angle du vaste bureau de Maks.

— A mon avis, tu vas vouloir reporter ton vol d'au moins une journée.

— Pourquoi ? s'agaça Maks.

Il avait hâte de rentrer chez lui, de s'éloigner de la source de toutes les tentations. Neuf semaines s'étaient écoulées, et Gillian occupait encore toutes ses pensées. Il n'avait cessé de la désirer avec une intensité qu'il n'avait jamais connue pour quiconque ; cela troublait même son jugement.

Il avait eu quelques rendez-vous avec d'autres femmes, qui avaient tous tourné court. Il n'avait plus fait l'amour à une femme depuis cette fameuse nuit passée avec Gillian.

— Mlle Harris a pris rendez-vous avec un médecin.

La simple mention de son nom lui fit bouillir le sang.

— Et alors ? parvint-il à répondre d'un air détaché, au prix d'un effort surhumain.

— C'est un obstétricien.

— Elle se renseigne sur les traitements contre l'infertilité et prépare son avenir. En quoi est-ce que cela me concerne ?

— Non, ce n'est pas exactement ça.

— Mais où veux-tu en venir, à la fin !

— D'après notre source, elle est enceinte. Cela a été confirmé par deux analyses sanguines et une échographie. Elle en serait à neuf semaines.

— Quoi ?

Il avait dû mal entendre.

— Nous… payons quelqu'un pour l'espionner ?

— Allons, Maks, c'est vraiment de ça que tu veux parler, en ce moment ?

40

Maks fut incapable de formuler la moindre pensée cohérente.

— Ta décision de ne pas mettre de préservatif n'a pas été sans conséquences, on dirait…

Maks n'avait jamais regretté de s'être confié à Demyan, mais, concernant ses ébats avec Gillian, il avait fallu qu'il soit sérieusement perturbé pour partager ce genre de détail avec lui.

— C'est impossible !

— Manifestement pas.

— Ça suffit, Demyan, ça n'a rien de drôle !

— Je suis de ton avis, répondit son cousin avec un parfait sérieux.

— Tu es en train de me dire que Gillian porte mon enfant, c'est ça ?

— Ce que je te dis, c'est qu'elle est allée consulter pour une grippe et a fait un test de grossesse qui s'est révélé positif. Elle en a fait un second qui a donné le même résultat et une échographie qui a permis d'examiner le cœur d'un fœtus en pleine santé. D'après son dossier, la grossesse date de neuf semaines.

— Elle a la grippe ?

Demyan le fixa sans comprendre.

Maks était d'ordinaire un homme vif d'esprit, mais la stupeur avait annihilé ses capacités d'analyse.

— Quoi ?

— J'imagine qu'elle est allée consulter pour une grippe pour finalement apprendre qu'elle souffrait de nausées matinales.

— Oh…

Maks n'avait pas souvent fréquenté de femmes enceintes, mais il avait tout de même entendu parler des nausées.

— Est-ce qu'elle va bien ?

— Je n'ai pas eu l'occasion de bavarder avec ton

ancienne petite amie, Maks, je me contente de lire les rapports de notre agence de détectives.

Maks émergea de la confusion qui lui embrumait le cerveau et prit enfin la mesure de la nouvelle en lâchant un interminable chapelet de jurons.

— Tu crois que c'est toi le père ? s'enquit Demyan sans s'émouvoir du langage de son cousin.

— Evidemment que je suis le père, Gillian ne couche pas avec le premier venu !

— Elle aurait pu faire l'amour avec un autre homme par dépit, après que tu l'as laissée tomber.

Cette idée révulsa Maks, qui parvint pourtant à conserver un visage neutre. Même Demyan ne devait pas avoir accès à certaines de ses pensées les plus intimes.

— Je ne l'ai pas laissée tomber ! se défendit Maks. J'ai été contraint de mettre un terme à notre relation pour le bien de la Couronne.

— Parce qu'elle ne pouvait pas te donner d'héritier.

— Oui, consentit Maks, frappé par l'ironie de la situation.

— Que comptes-tu faire ?

— Ce qui était prévu avant que je ne découvre qu'elle était prétendument infertile : l'épouser.

Il n'avait pas vraiment le choix.

Cet enfant n'aurait peut-être pas de frères et sœurs, mais c'était son enfant, et il entendait bien jouer son rôle de père auprès de lui.

4.

Gillian referma la porte derrière ses grands-parents et s'y adossa en soupirant. Enfin, elle pouvait cesser de dissimuler sa fatigue et ses nausées… pour la première fois de la semaine.

Grâce à des trésors d'ingéniosité, elle avait réussi à leur cacher sa grossesse. Gillian savait dissimuler des sentiments, elle qui, durant toute son enfance, avait tu la douleur qu'elle ressentait face à ce père insensible et froid. Elle était parvenue à leur faire croire que cela ne la dérangeait pas de ne voir sa mère qu'une fois par an et qu'elle se contentait parfaitement des visites plus fréquentes mais toujours très formelles que lui faisait son père.

Ils n'avaient jamais suspecté qu'elle pleurait la nuit en pensant que ses parents ne l'autorisaient pas à les appeler « papa » et « maman ». Elle devait employer leurs prénoms…

Les liens étaient rompus et rien, aujourd'hui, ne la rattachait plus à eux.

Gillian passa la main sur son ventre encore plat. Son bébé n'aurait jamais à souffrir de la sorte, jamais. Malheureusement, il grandirait sans père, et c'était cette pensée terrible qui, aujourd'hui qu'elle était adulte, l'empêchait de dormir.

Elle se dirigea vers la salle de bains en soupirant. Il était l'heure de se préparer pour aller au travail ! Elle avait pris une semaine de congé pour passer du temps avec ses grands-parents, mais son patron et ses clients l'attendaient au bureau dans la matinée.

Quand, dix heures plus tard, Gillian rentra chez elle, harassée, l'heure du dîner était passée depuis longtemps. Epuisée, elle n'eut guère que la force de faire chauffer un bol de soupe au micro-ondes.

Son plan pour la soirée était de se détendre en regardant une émission de télé-réalité, sans la moindre mauvaise conscience.

Quand la sonnette d'entrée retentit, elle fut aussitôt saisie par la peur que ses grands-parents aient finalement décidé de rester un peu plus longtemps en ville, mais elle chassa cette idée en repensant au coup de fil que lui avait donné nana depuis la frontière canadienne. Ils n'auraient pas fait demi-tour sans raison.

Cela pouvait être son père... Rich débarquait toujours à l'improviste, mais ses visites étaient rares, alors...

Elle avait des amis, bien sûr, mais depuis qu'elle avait déménagé dans cette grande ville et qu'elle avait quitté sa petite bourgade d'Alaska, ils lui rendaient rarement visite. Sa vie sociale se limitait au strict minimum.

— Oui ? lança-t-elle dans l'Interphone.

— C'est moi, Gillian. Laisse-moi entrer...

Maks !

Gillian manqua soudain d'air et il s'en fallut de peu qu'elle tombe à genoux. Qu'est-ce qu'il faisait ici ? se demanda-t-elle en s'appuyant au mur. En dix semaines, et il n'avait même pas pris la peine de lui envoyer un texto pour savoir si elle allait bien.

Et maintenant, elle devait l'accueillir chez elle ?

— Gillian ? Tu es là ?

Il avait une voix nasillarde à travers l'Interphone.

— Oui, répondit-elle, la bouche sèche.

— Tu n'as pas appuyé sur le bouton.

Et ça le surprenait ?

Gillian déglutit, reprit son souffle et fit de son mieux pour alléger le poids qui pesait sur sa poitrine.

— Qu'est-ce que tu fais là ?

— Il faut qu'on parle.

Peu après leur rupture, elle aurait accueilli cette proposition avec enthousiasme, mais aujourd'hui…

— Ça fait trois mois que nous avons rompu, Maks !

— Pas tout à fait, dix semaines.

Ainsi donc il avait compté les jours, lui aussi ? Non, cela ne voulait rien dire…

— Qu'est-ce que tu me veux, Maks ?

— Laisse-moi monter et je t'expliquerai.

— Je n'ai pas envie de te voir.

Elle venait à peine de franchir le cap où elle pouvait aller se coucher sans ressentir un irrépressible besoin d'être contre lui.

— Je vais tout arranger.

Il ne l'aimait pas.

Il ne voulait pas d'elle.

Il la croyait infertile. Comment pourrait-il arranger quoi que ce soit ?

— Non.

— Gillian…

Une petite voix lui murmura que, malgré tous ces défauts, il était tout de même venu frapper à sa porte.

Il était là. Maintenant. Pour elle.

C'était l'occasion d'aller vers lui. Tôt ou tard, elle y serait contrainte de toute façon, puisqu'il était le père de son enfant. Autant éviter d'aller vers lui uniquement par devoir.

Il n'y avait qu'une façon de savoir si c'était une bonne idée ou pas mais, curieusement, cela lui demanda beaucoup de courage de lui donner ainsi son accord.

— Tu vas devoir faire vite, car je suis épuisée,

répliqua-t-elle en se félicitant intérieurement qu'il soit contraint de faire ainsi le siège de son appartement.

Il ne répondit rien, comme elle s'y attendait. La dernière fois, elle avait appelé la sécurité pour le faire partir. Cette fois, elle *consentait* à le laisser entrer.

Elle appuya sur le bouton et entendit le mécanisme claquer en bas des escaliers, puis elle regagna la cuisine.

Elle avait pris une douche en rentrant chez elle et s'était contentée de ramener ses cheveux en une vague queue-de-cheval avant de se glisser dans son pyjama.

Pour la première fois depuis leur rencontre, Gillian se moquait de se montrer sous son meilleur jour. Elle n'avait pas l'intention de se pomponner pour un homme qui l'avait rejetée de sa vie sans aucun ménagement.

Elle était en train de retirer son bol du four lorsque la sonnette de la porte d'entrée retentit. Gillian s'efforça de respirer profondément à trois reprises et de ne pas oublier que c'était elle qui menait la danse, cette fois.

Maks était tiré à quatre épingles, comme à son habitude, mais il avait les cheveux en bataille, comme s'il venait de se recoiffer. Il avait retiré sa cravate en venant du bureau et, manifestement, il avait oublié son habituel second rasage quotidien.

Il y a dix semaines, elle aurait trouvé son menton un peu ombré très séduisant. Elle aurait sans doute pris cette légère négligence pour une marque de confiance.

Mais dix semaines avaient passé.

Avait-il souffert de leur séparation, lui aussi ? Gillian avait vraiment du mal à se convaincre qu'il était venu la voir pour « arranger » les choses.

Cette fois, elle se garderait bien de tirer des conclusions hâtives, en tout cas. S'il attendait quoi que ce soit d'elle, il allait devoir l'exprimer clairement. Et s'il était là pour se réconcilier avec elle, eh bien… elle ignorait quelle ligne de conduite elle adopterait. Sa vie à elle avait changé du tout au tout, mais un fait demeurait : Maks ne l'aimait pas.

Elle sentit la tension monter en elle et se força à respirer pour ne pas la transmettre au bébé. Au moins Maks ignorait tout de sa grossesse, c'était déjà ça de pris, inutile de compliquer encore la situation.

— Tu es pâle, constata-t-il en tendant la main pour lui caresser la joue.

— Je suis fatiguée, se justifia-t-elle en reculant.

Il ne fallait pas qu'elle le laisse s'approcher trop près.

— Entre…

Il acquiesça et pénétra dans l'appartement avec raideur. Elle posa son bol de soupe sur la table du salon.

— Tu veux boire quelque chose ?

— Oui, volontiers.

— Bien…

La présence de Maks chez elle remuait des souvenirs à la fois douloureux et réconfortants. Et puis il y avait cet espoir qui refusait de mourir. La plupart des gens ignoraient combien l'espoir pouvait être source de souffrance lorsqu'il avait été foulé aux pieds tant et tant de fois. Accorder sa confiance pouvait coûter très cher, et Gillian en avait payé le prix auprès de ce père charismatique, célèbre et terriblement absent que le destin avait choisi pour elle.

Son entrevue avec Maks ne serait que plus agréable s'il se détendait un peu. Elle se dirigea vers le bar et lui versa un verre de whisky. Lorsqu'elle se retourna pour le servir, il s'était avancé et se tenait juste derrière elle. Elle sursauta et eut un brusque mouvement de recul.

— Attention ! s'écria-t-il en voulant la rattraper.

Une fois encore, elle parvint à se soustraire à son contact.

— C'est bon, je tiens sur mes jambes. Tiens, prends ton verre et va t'asseoir.

Maks hésita une seconde avant d'obéir. Gillian n'était

pas habituée à le voir aussi indécis et elle ignorait quel comportement adopter.

Elle s'installa dans l'autre fauteuil avec son bol de soupe qu'elle commença à déguster avec lenteur. Son estomac réclamait de la nourriture, alors elle mangeait, et tant pis si cela la rendait moins séduisante aux yeux de Maks.

— C'est ça, ton dîner ?

— Oui.

— Tu es sûre que c'est assez nourrissant ?

— Ça me convient.

— Mais…

— Tu es venu jouer les nutritionnistes ? Que veux-tu, au juste ? Je ne crois pas que notre relation passée ait fuité dans la presse, si ?

— Non.

— Parfait.

— En effet. Cela n'aurait fait que compliquer les choses étant donné les… évolutions récentes.

— Les… évolutions ? Je ne suis pas certaine de comprendre.

— Vraiment ?

Elle aurait voulu croire que le prince ne pouvait vivre sans elle, mais ce genre de conte de fées n'était pas pour elle.

— Non.

— Nous nous trouvons face à une situation très délicate et, si nous n'agissons pas avec la plus grande prudence, cela pourrait bien nous exploser au visage.

— Mais de quelle situation parles-t…

— Tu peux arrêter de jouer la comédie, je suis au courant.

De quoi, au juste ?

Quand, d'un mouvement du menton, il désigna son ventre, Gillian sentit un frisson glacé lui parcourir l'échine. Comment pouvait-il savoir ?

— Ecoute, soit tu me dis clairement ce que tu es venu faire ici, soit tu finis ton verre et tu t'en vas.

— Je parle du bébé.

— Co… comment ?

Une fois encore, sa dureté la touchait au cœur. Il n'était pas là pour lui dire qu'elle lui manquait. Il n'était même pas venu pour elle…

— Demyan…

— Quoi, Demyan ? Il a soudoyé mon médecin, c'est ça ? Mais pour quoi faire ?

Elle n'y comprenait plus rien.

— Il a mis en place une surveillance post-rupture amoureuse, c'est la procédure.

— Tu m'as fait… surveiller ?

L'idée qu'un étranger ait pu l'espionner la révoltait. En fréquentant un prince, elle n'avait pas envisagé ce genre de complications. Elle n'aurait jamais imaginé qu'il puisse être l'instigateur d'une telle violation de sa vie privée, lui qui avait pris soin de masquer leur relation aux yeux des médias.

Elle aurait dû se montrer moins naïve.

— Quand comptais-tu me mettre au courant ? éluda-t-il. A moins que ton intention n'ait été de te venger de moi en me dissimulant l'existence de cet enfant ?

— Ta question est stupide. C'est bien mal me connaître que de penser que je puisse instrumentaliser un enfant et lui faire porter le poids des erreurs commises par ses parents !

Elle marquait un point. Gillian n'était pas le genre de femme à se laisser guider par la vengeance, surtout après les traumatismes qu'elle avait vécus dans son enfance.

— Je suis désolé, c'était déplacé.

La contrition n'était pas sa plus grande qualité, mais parfois il fallait savoir reconnaître ses erreurs.

— Quand avais-tu prévu de me le dire ? demanda-t-il, reformulant sa question.

— A la fin de mon premier trimestre.

— Tu as bien conscience que plus tôt je pourrai prendre les mesures appropriées, mieux ce sera ?

— Les mesures appropriées ? répéta-t-elle sans chercher à masquer sa déception.

— Notre mariage.

— Je vois…

La perspective de leur union ne sembla susciter aucun enthousiasme chez elle, alors même qu'elle en avait rêvé dix semaines auparavant.

Gillian avait ignoré, sur le moment, que cette merveilleuse nuit serait aussi la dernière. Maks, lui, avait eu le temps de ressasser ces quelques heures, encore et encore. Et il se rendait bien compte qu'aux yeux de Gillian il devait passer pour le pire des mufles.

Il comprenait son point de vue.

Il en était même presque venu à comprendre qu'elle ait appelé la sécurité pour le faire partir.

Presque.

Elle avait agi sous le coup de la colère, certes, mais il ne tolérerait cependant pas que cela se reproduise. Il faisait confiance à sa mère pour expliquer à Gillian les contraintes liées à la charge de reine, charge qu'elle serait amenée à porter un jour.

Mais tout cela pouvait attendre, ils avaient des sujets plus urgents à aborder.

— Tu ne manques tout de même pas d'aplomb !

— Mon enfant occupera le trône de Volyarus.

Cet impératif ne pouvait pas échapper à Gillian.

— Même si c'est une fille ? demanda-t-elle d'un air de défi.

— Oui.

La monarchie se transmettait à l'aîné, qu'il soit garçon ou fille, indifféremment.

— Quelle modernité ! railla-t-elle.

— Pas vraiment, non. De nombreuses monarchies s'affranchissent de la contrainte du sexe de l'héritier.

— Ah ? Je l'ignorais.

Elle reposa son bol sur la table.

— Mais les hommes de la génération de mon père n'ont pas œuvré dans ce sens, concéda-t-il.

— Comment ça ?

— Il est de tradition que les membres de la famille régnante s'occupent des affaires du royaume ainsi que de la gestion des entreprises. Pour autant, mon père n'a jamais laissé sa sœur s'impliquer dans la conduite de Yurkovitch Tanner. Il a aussi une vision étriquée et archaïque de la transmission de la lignée.

Son père n'avait épousé sa mère que pour fournir un héritier au trône, car la femme qu'il aimait s'était révélée infertile. Le couple royal avait donc eu un fils, né d'une union sans amour.

— En effet.

Maks s'était autorisé à critiquer son père, mais sa fierté souffrait tout de même d'entendre Gillian appuyer ainsi son propos. Il ravala pourtant sa loyauté filiale ébréchée et poursuivit :

— Tu as l'air fatiguée.

Epuisée était plus proche de la réalité.

— Je le suis.

— Quelque chose ne va pas ?

— Tout va bien, apparemment, ça fait partie du cycle normal de la grossesse.

Cette réponse n'était pas suffisante. Il allait avoir besoin de prendre l'avis d'un spécialiste.

— Il y a vingt pour cent de chances que ma grossesse n'arrive pas à son terme, expliqua-t-elle d'une voix atone, ce pourcentage descend à trois pour cent au-delà de douze semaines.

Il était vraiment urgent qu'elle consulte un spécialiste.

— Pourquoi ? Pourquoi existe-t-il un risque aussi grand de perdre l'enfant ?

— Il semblerait que les fausses couches soient beaucoup plus courantes que ce que l'on pense, expliqua-t-elle d'une voix monocorde que démentait la tension qui émanait de tout son corps.

— Mon enfant naîtra, affirma Maks.

Gillian eut un petit rire.

— Tu n'as pas ton mot à dire, je le crains.

— Je ne suis pas d'accord. Il y a forcément quelque chose à faire pour limiter les risques.

— Je m'y emploie. Je prends des vitamines prénatales et de l'acide folique. J'ai changé mon régime alimentaire, je ne bois ni caféine ni alcool, même si mon médecin prétend que je peux en boire de petites quantités. Je fais tout pour éviter le moindre stress, affirma-t-elle avec une détermination absolue.

— Tu veux vraiment cet enfant ?

En revanche, rien n'indiquait qu'elle voulait de *lui*.

— Oui. Et j'ai l'intention d'être une mère exemplaire.

— Ta grand-mère est un bel exemple à suivre.

Sa mère, en revanche, aurait pu rédiger le guide de la parfaite mère absente.

— Oui, nana est quelqu'un de bien, confirma-t-elle en se détendant un peu.

— Elle doit être toute excitée à l'idée de voir cet enfant arriver, commenta-t-il en songeant qu'il aurait aimé être le premier au courant.

— Je ne lui ai encore rien dit.

Maks n'en revenait pas. Gillian confiait tout à nana. Même leur relation — secrète aux yeux du monde —, elle l'avait partagée avec ses grands-parents. Il les avait même rencontrés et avait subi un interrogatoire digne des services secrets les plus pointilleux. Les Harris ne l'avaient à aucun moment traité comme un monarque, et il avait énormément apprécié leur naturel.

Alors pourquoi leur cacher l'existence de cet enfant ? Etait-ce parce qu'ils n'étaient pas mariés ?

— Je ne pense pas que ta grand-mère te tiendrait rigueur de tomber enceinte avant le mariage, Gillian.

— Sur ces sujets, elle est beaucoup plus conservatrice que tu ne l'imagines. A ton avis, qui a poussé mes parents à se marier pour que ma naissance ait lieu dans un cadre légitime ?

Ainsi donc, nana pourrait-elle être sa plus grande alliée... Maks nota ce détail d'importance.

— Je n'ai pas l'intention de parler du bébé à qui que ce soit avant d'avoir franchi la douzième semaine, expliqua Gillian.

Manifestement, elle prenait cette histoire de fausse couche très au sérieux.

— Tu devrais essayer d'envisager les choses sous un angle plus positif.

— Je ne suis pas négative, je suis réaliste.

— Si tu étais réaliste, tu te contenterais de prendre ta grossesse pour ce qu'elle est, et tu ferais en sorte de réagir au mieux à cet état de fait.

La colère envahit le visage de Gillian.

— Je réagis *déjà* au mieux, se défendit-elle.

Ils s'étaient fréquentés pendant huit mois et, pendant tout ce temps, Maks l'avait pris pour une femme essentiellement pragmatique. Mais leur ultime nuit avait révélé chez elle une nature romantique qu'il aurait dû soupçonner plus tôt.

Gillian gagnait sa vie en concevant des couvertures de romans d'amour. Elle ne pouvait pas réussir dans son travail sans avoir un petit côté fleur bleue. Maks était un diplomate d'envergure internationale et un entrepreneur à nul autre pareil mais, s'agissant des femmes, il n'était sans doute pas l'homme le plus délicat du monde.

Aucune de ses anciennes maîtresses n'était restée

amie avec lui — chose que Demyan trouvait excessivement amusante.

Pourtant Maks avait eu une sorte de révélation en venant chez Gillian : il avait compris qu'une seule chose pouvait suffire à son bonheur, désormais. Aussitôt, il s'était rendu chez Tiffany.

Lentement, il sortit la boîte bleue de sa poche, mit un genou à terre face à son ancienne petite amie et déclara :

— Gillian Harris, veux-tu m'épouser ?

5.

Gillian contempla Maks, puis la boîte contenant la bague. Cette boîte abritait sans doute un bijou digne d'une reine, mais elle la regarda comme si une vipère allait en surgir.

— Tu m'as acheté une bague ?

Gillian semblait tout sauf heureuse. En fait, elle semblait même furieuse.

— Tu mérites que je te couvre de bijoux, mais comment faire après la façon dont notre histoire s'est terminée ?

Maks se sentait mal à l'aise, ainsi agenouillé devant elle. Qu'y avait-il de romantique à s'avilir ainsi ? Fort heureusement, il n'aurait pas à adopter de nouveau cette posture avant longtemps.

— Tu as raison, inutile pour un *honnête homme* comme toi de gâcher de si jolies parures !

Quoi qu'il réponde, il était perdant, aussi garda-t-il le silence.

Maks ouvrit la boîte et révéla un gros diamant carré flanqué de quatre diamants jaunes plus petits, d'une grande pureté, sertis dans une bague en platine.

— Epouse-moi, Gillian.

— C'est une très belle bague, dit-elle avant de détourner les yeux, comme si elle ne pouvait la contempler trop longtemps.

Maks n'y comprenait plus rien. Les femmes aimaient les bijoux, non ? Sa mère, en tout cas, les adorait. Rien d'ostentatoire, mais elle tenait à ce que pour leur anniversaire de mariage, son époux se fende d'un beau cadeau.

— Tu es une femme magnifique.

Gillian fit la moue.

— Si j'étais vraiment une beauté, tu ne te serais pas intéressé à moi.

C'était vrai. Il aurait sans doute couché avec elle, mais il n'aurait pas entamé de relation suivie si elle n'avait été qu'une de ces nombreuses courtisanes attirées par le feu des médias. Cela ne signifiait pourtant pas que Gillian n'était pas agréable à regarder.

— Jamais auparavant une femme ne m'a manqué à ce point après une rupture, avoua Maks.

Il se faisait violence en disant cela, mais elle méritait de connaître la vérité.

— Mais tu n'as pas fréquenté beaucoup de femmes avant moi, argumenta Gillian.

Encore une fois, elle avait raison. Il n'avait eu que deux relations à peu près suivies, et aucune d'entre elles ne s'était bien terminée. Cela n'avait fait que renforcer l'une de ses plus grandes certitudes : l'amour était un obstacle au devoir.

— Mais toi, tu me manques, répéta-t-il, au cas où ce détail lui aurait échappé.

Gillian se recroquevilla dans un coin du canapé, les pieds sous les coussins, les bras entourant ses jambes repliées.

— C'est toi qui m'as laissée tomber, Maks.

— Et je le regrette…

— Oui, depuis que tu as découvert que je suis enceinte, répliqua Gillian, cinglante.

C'était faux, il avait regretté son geste *avant* d'apprendre la grossesse de Gillian, mais il ne s'était tout simplement pas autorisé à prêter attention à ses sentiments.

Gillian soupira en contemplant la bague, avant de détourner les yeux une nouvelle fois.

— Je refuse de prendre un quelconque engagement avant d'avoir franchi le premier trimestre.

— Ce n'est pas acceptable.

— Il y a dix semaines, tu m'as clairement fait comprendre que tu ne voulais pas m'épouser à moins que je ne puisse fournir un héritier au trône. Si je perds l'enfant, l'histoire ne fera que se répéter et il y a peu de chances que je puisse en concevoir un second ! lança-t-elle d'une voix tremblante.

Etait-ce ce risque qui lui causait tant de souffrance, ou bien la perspective qu'ils n'avaient pas d'avenir ensemble en dehors de ce devoir de lignée ?

Quoi qu'il en soit, il ne pouvait pas accepter ses conditions.

Quand Maks la rejoignit sur le canapé, elle eut un petit mouvement de recul qui ne lui échappa pas.

— Chaque jour qui passe augmente le risque qu'un journaliste apprenne ta grossesse. Nous serons alors au centre d'une tempête médiatique : nous *devons* annoncer ce mariage.

— Personne ne sera au courant à moins que tu ne soudoies d'autres médecins.

— Demyan n'a soudoyé personne.

— Alors comment l'a-t-il su ?

— Tu veux vraiment le savoir ?

— Oui.

— Grâce à un pirate informatique.

— Tu as piraté mes dossiers médicaux ? s'enflamma-t-elle.

— Demyan…

— Oui, bien sûr, c'est ton cousin le responsable, tu n'as rien à voir avec ça !

— Peu importe. Le fait est qu'on ne peut pas se contenter d'espérer que personne ne découvrira la vérité. Il est possible de prendre des rendez-vous médicaux plus discrets et…

— Je n'ai pas de rendez-vous prévu avant la douzième semaine, Maks.

Il ne répondit rien. Gillian savait mieux que quiconque — et même mieux que Maks lui-même — avec quelle facilité les médias parvenaient à déterrer les secrets les mieux cachés.

— Tu fais tout ton possible pour rester dans l'ombre, n'est-ce pas ?

— Volyarus vit mieux loin des caméras.

— Pourquoi ?

— Si la presse s'intéresse à nous, le reste de la planète suivra, et nous serons trop exposés. Si Volyarus prospère, c'est en restant un petit pays peu connu, situé sur un territoire doté de ressources naturelles importantes.

La consonance russe du nom du pays évoquait une ascendance slave. Pourtant, rien n'était plus faux. Volyarus était en réalité la contraction d'un vocable russe signifiant « libéré de la Russie ». La principauté s'était séparée de l'Ukraine à l'initiative de quelques nobles appuyés par des corporations d'ouvriers installés sur une île de la mer Baltique. Loin des pressions du gouvernement russe pour en endiguer l'usage, la langue ukrainienne était encore aujourd'hui d'usage à Volyarus. On demandait cependant à chaque citoyen de parler au moins une autre langue. Maks parlait lui-même trois autres langues avec une maîtrise suffisante pour se passer d'interprète lors de ses déplacements internationaux.

Mais, malgré ses talents, Maks ne parvenait pas à communiquer efficacement avec la femme qui se tenait face à lui.

— On en revient toujours à Volyarus, n'est-ce pas ?

— Oui.

Maks ne comptait pas s'excuser de sa fidélité envers son pays. Il était né pour exercer un niveau de pouvoir et de responsabilité que peu de gens pouvaient même appréhender, mais il n'avait jamais renâclé à porter ce fardeau.

— Raison de plus pour ne pas mettre le pays sous le feu des projecteurs par un mariage qui se révélera peut-être éphémère. Que ferons-nous en cas de fausse couche ?

— Je né divorcerai pas, même si tu perds l'enfant.

Même si son devoir lui dictait de le faire, il ne pourrait s'y résoudre.

Restait qu'elle était tombée enceinte après avoir fait l'amour avec lui une seule fois sans préservatif. Il y avait à l'évidence entre eux une compatibilité physiologique qui infirmait les statistiques. Même si elle perdait son bébé — et Maks était persuadé que cela n'arriverait pas —, ils finiraient par avoir un autre enfant, il en avait la certitude. Et puis, c'était tout de même de mariage dont il était question ! Et de politique. Il s'agissait de rassurer la population sur l'avenir de la lignée, en organisant une cérémonie grandiose. Sa mère serait ravie de s'en charger. Elle appréciait Gillian, elle l'avait clairement fait comprendre à Maks. En revanche, cette grossesse précoce risquait de la contrarier mais, en femme pragmatique, elle ne chercherait pas à aller contre l'évidence. Du moins, pas tant qu'elle aurait l'assurance d'un mariage rapide.

Maks décida de garder cela pour lui pour le moment. Il réussirait à convaincre Gillian de l'épouser aussi vite que possible… s'il parvenait à la convaincre de l'épouser tout court.

— Tu pars donc du principe que je vais accepter de me marier, reprit-elle comme si elle était capable de lire dans son esprit.

— A-t-on vraiment le choix ? demanda-t-il en se relevant.

— Comme c'est romantique !

Il n'avait certes pas pris le temps d'envelopper son propos, mais c'était pourtant la vérité.

— Même si je n'avais pas envie de t'épouser, je le ferais.

— De mieux en mieux…

Maks jura dans sa barbe. Que lui arrivait-il, et où étaient passés son éloquence habituelle et ses talents de diplomate ? Il se mit à arpenter la pièce pour s'arrêter finalement devant le bar. Il fit mine de se verser un autre whisky, mais se ravisa en se rappelant qu'il n'avait pas touché à celui que venait de lui verser Gillian. Elle pouvait lui avancer tous les arguments du monde, il n'en restait pas moins qu'elle portait l'héritier de la couronne de Volyarus. Elle *devait* l'épouser.

— J'imagine que tu ne m'aurais pas fait cette proposition si le bébé n'était pas là.

Ce n'était pas une question, juste un constat. Maks se tourna vers elle.

— Est-ce que cela a la moindre importance ? L'enfant que tu portes est un véritable miracle en soi. *Notre* miracle.

— Oui.

— Alors, tu veux bien m'épouser ?

— Oui, le bébé est un miracle, mais oui, la nuance a vraiment de l'importance à mes yeux, prit-elle soin de préciser. Je refuse de m'engager à quoi que ce soit avant deux semaines. Tu pourras t'époumoner autant que tu veux, je ne transigerai pas là-dessus !

Il n'arriverait pas à la faire changer d'avis, c'était peine perdue.

— Dans ce cas, nous serons mariés dans deux semaines.

— Je ne te fais aucune promesse tant que…

— … tu n'auras pas franchi le cap du second trimestre, j'ai bien compris.

— Alors, dans ce cas cesse d'insister.

— Tu sais très bien que tu finiras par accepter.

— Non, je n'en sais rien.

— Bien sûr que si, ton choix est déjà fait.

— Qu'est-ce que tu veux dire ?

— Tu savais, en me fréquentant, que tu t'exposais à des contraintes.

— C'est vrai, mais je n'ai pas signé un pacte en décidant de sortir avec toi.

Ils n'avaient jamais abordé ce point, mais elle disait vrai.

— Tu ignorais ta prétendue infertilité lorsque tu as accepté de faire l'amour avec moi sans préservatif.

— Il me semble que c'était d'un commun accord, non ?

— A ce moment-là, j'étais convaincu que tu ne pouvais pas tomber enceinte, ou du moins que les chances étaient infimes.

— Pas de chance, hein ?

— Ce n'est pas ce que j'ai dit.

Gillian lui offrit alors un sourire… qui n'augurait rien de bon.

— Bien sûr que non. Cette grossesse est même une excellente nouvelle pour toi, tu vas enfin avoir un héritier sur le trône de Volyarus.

— Je chérirai notre enfant, qu'il soit le futur prince ou non.

— Ah oui, vraiment ?

— Oui.

Il n'avait aucun doute à ce sujet.

— C'est bon à savoir.

— Mes parents étaient les souverains d'une nation petite mais très accaparante, pourtant ils ont toujours été là pour moi.

— Même lorsque ton père aménageait son temps entre ta famille et son *amie* la comtesse ?

— Le bonheur parfait n'existe pas, mais j'ai eu une

enfance heureuse. Notre enfant en aura une encore meilleure.

— Voilà ce que je veux pour notre enfant : le meilleur. Je veux qu'il ou elle soit aimé sans retenue.

— Comme tes grands-parents t'ont aimée ?

— Comme j'aurais voulu que mes parents m'aiment.

C'était la première fois qu'elle avouait ce manque en sa présence, même s'il l'avait toujours pressenti.

— Nous sommes différents de tes parents.

— Comme nous sommes différents des tiens.

Cette fois, c'était lui qui ne comprenait pas ce qu'elle voulait dire.

— Si, et je dis bien *si*, j'acceptais de t'épouser, ce serait sous certaines conditions.

— Telles que ?

— Je ne tolérerai aucune maîtresse. Je ne suis pas comme ta mère, je ne veux pas de la moindre liaison, relation ou aventure d'un soir. En cas d'infidélité, je te quitterai en demandant la garde exclusive de notre enfant.

— Encore une fois, je ne suis pas le même homme que mon père. Il n'est pas dans mon intention de prendre exemple sur lui dans ce domaine. La relation qu'il entretient depuis longtemps avec la comtesse est son affaire.

— Je serai la seule à partager ton lit. Point final.

Maks détestait que Gillian se sente obligée de faire ce genre de précision. Il n'était tout de même pas responsable des erreurs de son père ! Il n'avait jamais trompé aucune femme, pas même à l'université. Jamais il n'avait considéré que son statut lui conférait le moindre passe-droit.

— Je te répète que je ne suis pas mon père.

— Mais tu fais toujours passer Volyarus avant le reste.

— Contrairement à mon père.

— Tu n'en penses pas un mot, rétorqua-t-elle, choquée par ce qu'il venait de dire.

Il y avait de quoi. Maks critiquait rarement son père,

et il venait de le faire deux fois dans la même conversation. Gillian avait raison sur un point, cependant : il devait se montrer honnête avec elle. Il fallait qu'elle comprenne que son soutien inconditionnel au souverain régnant n'était qu'un geste politique.

Tout comme Demyan, elle serait bientôt dépositaire de certains secrets d'alcôves.

— Si mon père se souciait vraiment de l'intérêt premier de la nation, il mettrait fin à cette relation extraconjugale qui empoisonne la cour depuis des années.

— C'est ton dévouement à Volyarus qui te fait parler comme ça, pas ta sollicitude envers ta mère.

— Ma mère était au courant au sujet de la comtesse lorsqu'elle a épousé mon père.

— Si je me révèle incapable de donner naissance à un second enfant, nous aurons recours à la médecine, mais je refuse que tu aies une maîtresse. Cela devra apparaître dans le contrat de mariage.

— Très bien, concéda Maks.

— Et je tiens à ce que ce contrat englobe l'ensemble de tes héritiers.

— Tu veux dire que tu aurais même la garde des enfants que je pourrais avoir avec d'autres femmes ?

Gillian était intelligente, mais il découvrait qu'elle pouvait aussi se montrer sans pitié. Ce n'était pas pour lui déplaire.

— Exactement.

— Et si la mère biologique est en désaccord ?

— Elle sera contrainte de livrer une bataille juridique contre la Couronne, sous le regard des médias.

— Tu ferais jouer les relations de ton père pour jeter Volyarus en pâture aux journalistes, c'est ça ?

— Tu n'imagines pas jusqu'où je serai prête à aller pour protéger le bonheur de mes futurs enfants.

— J'ai été élevé par une femme qui partageait cette philosophie, je vois très bien ce que tu veux dire.

— Oh non ! Ta mère ne m'arrive pas à la cheville dans ce domaine. Elle se soucie avant tout du bien du royaume, ce qui la force à retenir ses coups. Je n'aurai pas cette faiblesse.

— Ma mère n'est pas faible, répliqua Maks.

Il avait appris, avec le temps, à voir cette force en elle et il avait fini par l'apprécier.

— Non, mais elle est prête à faire passer son bien-être au second plan. Je ne serai pas comme elle.

— Et tu ne reproduiras pas le schéma de tes parents en privant tes enfants de leur patrimoine.

Manifestement, Gillian avait beaucoup réfléchi durant ces semaines de grossesse. Elle avait envisagé tous les scénarios impliquant une éventuelle union entre eux. Et même si cette perspective ne la faisait plus rêver, elle était prête à tout pour protéger son enfant et ses droits sur la couronne.

— Tu peux très bien mettre notre enfant sur le trône sans que je t'épouse.

— Selon notre loi, je peux désigner n'importe lequel de mes parents comme successeur, mais la naissance d'un héritier légitime invalide les droits de tout autre prétendant.

— Donc, si tu épouses quelqu'un d'autre et qu'elle a un enfant de toi, cet enfant montera sur le trône ? demanda-t-elle en pesant chacun de ses mots.

— C'est cela.

— Très bien.

— Tu serais prête à priver notre enfant de cet avenir ? s'emporta Maks, profondément choqué.

A aucun moment il ne s'était attendu à une telle volte-face.

— Je ne dis pas que je le ferais, je pèse simplement les conséquences dans l'éventualité où je refuserais de t'épouser, c'est tout.

— Tu ne peux pas faire ça à notre enfant !

Il était capital qu'elle prenne la mesure de ses actes, bon sang !

— Je te rappelle que c'est toi qui m'as laissée tomber il y a dix semaines.

— Et notre enfant devrait payer pour *mon* erreur ?

— C'est à moi de faire les meilleurs choix pour ce bébé, que ce soit en t'épousant ou en refusant de le faire.

— Mais pourquoi ?

— Parce que tu ne m'aimes pas !

Maks fut pour répondre, mais elle l'interrompit d'un geste autoritaire.

— Je sais que, pour toi, ça ne fait aucune différence, mais, à mes yeux, c'est plus qu'un détail. Je dois maintenant décider si je suis capable d'être la meilleure des mères en étant mariée à un homme qui ne m'aime pas et qui m'a laissée tomber avec autant de facilité.

— Détrompe-toi, ça n'a pas été facile.

A en juger par l'expression de Gillian, ces justifications arrivaient beaucoup trop tard.

— Mais tu as réussi à le faire, et tu ne serais pas là si tu n'avais pas découvert ma grossesse par des moyens scandaleux.

— Ça n'a rien de scandaleux.

— Obtenir illégalement des informations médicales confidentielles, comment est-ce que tu appelles ça, toi ?

— De la débrouillardise.

Gillian éclata d'un rire triste qui le prit par surprise.

— Maks, tu es incroyable…

— Je suis un prince.

— Qui s'arroge le droit de mettre son ex-petite amie sous surveillance.

— Je t'ai déjà dit que ce n'était pas m…

— Oui, je sais, c'est Demyan, le responsable. Je savais que vous étiez comme des frères, mais à ce point-là !

— Il a agi selon sa conscience.

— Pourquoi me faire ça ? Comme si j'allais aller frapper à la porte des journaux à scandale !

— Je lui ai parlé de cette fameuse nuit.

— Quoi ?

— Je lui ai dit que je n'avais pas mis de préservatif.

— Oh ! tu lui as dit ça, vraiment ?

— Oui, vraiment.

— P... pourquoi ?

A l'évidence, elle n'imaginait pas que Maks puisse faire des confidences à qui que ce soit.

— J'étais ivre.

— Oh... et pourquoi as-tu bu autant ?

— Tu me manquais.

— Et je dois te croire sur parole.

— Je t'assure que c'est vrai.

— Bien sûr, oui...

— Quoi, tu ne me crois pas ?

— Je ne suis pas convaincue.

— Tu ne me fais donc absolument plus confiance ?

Cette prise de conscience fut un véritable choc pour Maks, qui se voyait comme quelqu'un de fiable.

— En effet.

— C'est inacceptable.

— Tu utilises beaucoup cette formule, mais tu avoueras qu'il a tout de même fallu que je tombe enceinte pour que tu reviennes me voir. Où est la confiance là-dedans ?

— Tu sais très bien que...

— Ce que je sais, c'est que je n'ai même pas eu le bénéfice du doute. Tu n'as même pas envisagé de me proposer un suivi médical pour lutter contre l'infertilité.

Maks n'avait rien à répondre à ça.

— Tu ne t'es jamais demandé si l'enfant était vraiment de toi ? reprit Gillian.

— Non.

— Mais oui, j'oubliais que tu m'avais fait suivre. Tu

savais donc que je n'étais pas allée me jeter dans les bras du premier venu pour oublier ma douleur !

— Cette éventualité ne m'a même pas traversé l'esprit.

— Nous n'étions plus ensemble, cela aurait été mon droit.

— Je *sais* que tu ne couches pas avec le premier venu.

— On fait parfois des choses stupides quand on souffre.

Maks haussa les épaules. Il la croyait sur parole, mais, pour sa part, il avait appris à se maîtriser dès son plus jeune âge.

— Mais tu ne l'as pas fait, insista-t-il.

— Non, je ne l'ai pas fait.

— N'aie pas l'air si contrariée, je suis heureux que cela ne soit pas arrivé.

— Et toi ?

— Et moi, quoi ? Oh… non, je n'ai pas fréquenté d'autre femme.

— Pourquoi ?

— Parce que tu me manquais.

— Si tu le dis…

6.

Gillian avait le sentiment que l'univers conspirait pour la pousser dans les bras du prince de Volyarus. Comme si elle n'avait pas assez de mal à le chasser de ses pensées !

Heureusement qu'elle avait son métier de photographe, cela l'aidait à se concentrer sur autre chose… la plupart du temps.

Pendant trois jours d'affilée, elle avait enchaîné les prises de vues pour illustrer des romans sentimentaux. Et toutes les héroïnes étaient blondes.

Pourquoi ? Mystère…

Il lui arrivait souvent de photographier des brunes et des rousses, parfois même elles avaient des mèches roses mais, depuis trois jours, rien que des blondes, pendues au bras de grands bruns ténébreux.

Aucun n'arrivait à la cheville de Maks, cela dit. Il leur manquait le caractère trempé, la froideur impitoyable qui avait permis au prince de se détourner d'elle sans un regard en arrière.

Ils étaient tous très séduisants, mais ils ne faisaient pas battre son cœur, elle n'avait pas le souffle coupé en les voyant. Et leur présence, par contraste, ne faisait que renforcer le manque qu'elle ressentait. De son côté, le beau souverain ne l'aidait guère à penser à autre chose en lui envoyant plusieurs messages par jour. Il venait aux nouvelles du bébé. Elle trouvait cela presque charmant, d'autant qu'il avait la délicatesse de s'enquérir également de l'état de la mère.

La contrepartie était qu'il se comportait comme s'ils étaient de nouveau ensemble. Il l'invitait à dîner, voulait l'emmener au spectacle et lui demandait d'être sa cavalière lors de soirées en ville.

— *Vous avez reçu un message, madame*, glissa la voix électronique de son téléphone, la rappelant à la réalité.

Le couple de mannequins qui était déjà en position pour la séance de photos leva la tête vers elle.

— Vous voulez peut-être le lire ? demanda le beau brun.

— Il ne faut pas vous en faire pour nous, allez-y, consultez votre messagerie, renchérit la blonde avec un sourire parfaitement commercial qui s'adressait autant à Gillian qu'à son séduisant collègue.

Oh ! la demoiselle était intéressée par son partenaire... Il n'était pas marié, Gillian le savait et elle ne voulait surtout pas s'immiscer dans leur histoire d'amour naissante.

— Merci, leur glissa-t-elle avant de leur tourner le dos pour consulter le texto.

Maks : On donne le ballet *La Bayadère*. Tu veux m'accompagner ?

L'ingrat ! Elle adorait les ballets et il jouait de sa faiblesse. Elle tapa :

Gillian : Trop de boulot.

Elle n'avait pas l'intention de se laisser séduire une seconde fois, pas tant que son avenir demeurait incertain.

Maks : Tu es sûre ? J'ai de bonnes places.

La tentation était forte, mais elle tint bon.

Gillian : Absolument sûre.

Silence.

Pas de réponse.

Déprimée, Gillian se remit au travail avec les deux mannequins, l'esprit désormais entièrement tourné vers le choix cornélien qui s'offrait à elle, un choix qui aurait un impact direct sur son enfant à naître…

Gillian serait à jamais reconnaissante à ses grands-parents pour l'avoir élevée et aimée. Sans doute au début avaient-ils espéré que son père finirait par prendre une part active dans son éducation. Plus tard, ils avaient fait de leur mieux pour entretenir l'illusion qu'il était effectivement son père, alors qu'en définitive, il n'était rien de mieux qu'un donneur de sperme au portefeuille bien garni.

D'ailleurs, Rich plaisantait lui-même à ce sujet, comme s'il n'y avait là rien de grave.

Gillian était déterminée à tracer un tout autre chemin pour son enfant. Maks n'avait rien de commun avec Rich. Le prince avait de l'amour pour sa famille, même s'il ne l'exprimait jamais autrement que par des actes, en faisant passer leur intérêt avant les siens. Le roi, la reine, Demyan, tous bénéficiaient de sa protection. C'était l'une des premières choses que Gillian avait remarquées chez lui : il était dévoué envers sa famille, aussi s'était-elle fait des illusions au sujet de leur propre relation.

Maks ne l'aimait pas, *elle*, mais il aimerait leur enfant et elle ne pouvait pas faire semblant de l'ignorer.

Maks frappa à la porte de Gillian.

Il n'avait pas cessé de l'appeler et de lui envoyer des messages depuis qu'il l'avait quittée, l'autre soir. Elle avait répondu à la plupart d'entre eux et elle avait pris certains de ses appels, mais elle avait toujours refusé de le voir sous différents prétextes. Elle avait même refusé de l'accompagner pour voir *La Bayadère*.

Son comportement avait changé du tout au tout depuis l'époque où ils étaient ensemble. Dix semaines plus tôt, c'était elle qui le harcelait, illuminant ses journées les plus sombres.

Il n'avait jamais soupçonné chez elle un caractère aussi trempé et il se promit de ne pas oublier à l'avenir que Gillian pouvait se montrer inflexible. C'était certes appréciable, mais il n'avait pas l'habitude qu'une femme le traite ainsi, surtout pas la sienne. De son point de vue, la coupe était pleine.

Il devait s'envoler le lendemain à l'aube pour Volyarus et il avait l'intention de mettre les choses au clair avec elle avant son départ.

La porte s'ouvrit sur une Gillian courroucée.

— Comment es-tu arrivé jusqu'ici ?

Il haussa les épaules. La façon dont il avait obtenu son dossier médical l'avait contrariée. Il allait donc éviter de lui expliquer qu'il avait loué l'appartement situé juste en dessous du sien pour pouvoir aller et venir librement dans l'immeuble.

— Tu es incroyable, tu sais ?

— Je suis comme je suis.

Gillian leva les bras au ciel.

— Eh bien entre, puisque tu es là ! Le repas que tu m'as fait livrer est assez copieux pour deux. J'imagine que c'était ton plan, de toute façon ?

— Ça te contrarie, on dirait.

— C'est du poulet au parmesan, mon plat préféré, et il vient d'un restaurant qui ne fait pas les plats à emporter… sauf pour toi, apparemment. Comment pourrais-je ne pas être aux anges ?

Effectivement.

Maks n'entama donc pas la discussion, sachant — grâce à ses lectures récentes — que les femmes enceintes étaient sujettes à des sautes d'humeur imprévisibles.

— Je te remercie de m'avoir fait livrer à manger

chaque soir, dit-elle en le fixant avec un regard qui exprimait tout sauf de la gratitude.

Sa grand-mère aurait été fière d'elle en la voyant se comporter avec distinction, alors qu'à l'évidence elle rêvait de le faire sortir de chez elle par la peau du cou.

— Je voulais t'éviter d'avoir à cuisiner, tu es épuisée, ça se voit.

Et tu devrais éviter de te surmener en travaillant ainsi à temps plein, ajouta-t-il pour lui-même.

Il avait fait de son mieux pour veiller sur elle, malgré son refus catégorique de le rencontrer depuis trois jours.

— Les femmes enceintes préparent à manger depuis des millénaires, ça n'a rien d'extraordinaire.

— Eh bien, disons que toi, tu n'as pas à le faire et restons-en là, conclut-il en lui posant la main sur l'épaule.

Gillian eut un brusque mouvement de recul.

— Tu ne supportes plus que je te touche ?

Il avait lu aussi que certaines femmes enceintes perdaient tout attrait pour le sexe. Restait à espérer qu'elle appartienne à l'autre catégorie, celle dont les hormones s'affolaient. L'amour physique entre eux lui avait cruellement manqué et il espérait pouvoir renouer cette intimité.

Gillian ne répondit rien, mais se dirigea vers les plats qu'elle disposa sur des assiettes avec des gestes précis. Maks prit deux verres et entreprit de la rejoindre.

— Je préfère manger sur le canapé, lui lança-t-elle sans se départir de sa mauvaise humeur, alors qu'il était à mi-chemin.

Il bifurqua donc brusquement pour reposer les verres sur la table basse avant de revenir vers elle.

— Que veux-tu boire ?

— Du lait, répondit-elle avec lassitude, c'est bon pour le bébé.

— Il y a tout un tas d'autres aliments riches en

calcium. Tu n'as pas à te forcer à boire du lait si tu n'aimes pas ça.

Elle aimait le lait.

Avant.

Est-ce que sa grossesse avait aussi modifié ses préférences ?

— Arrête d'être gentil avec moi !

— Tu préférerais que j'ignore tes besoins ?

— Oui, ça rendrait les choses moins pénibles.

— Quelles choses ?

— Tu le sais très bien.

— Tu parles de ce choix que tu prétends devoir faire ?

— Ça n'a rien d'accessoire !

Maks sentait sa colère monter, mais il parvint à la contrôler.

— Il n'y a pas à hésiter lorsqu'il s'agit du bien de notre enfant, Gillian. Je le sais, tu le sais, tu refuses simplement de l'admettre.

— Et ta mère, est-ce qu'on lui a donné le choix ?

Qu'est-ce que sa mère venait faire là-dedans ? Insinuait-elle qu'elle n'aurait jamais épousé son père sans la contrainte du lignage ? La fierté familiale de Maks en fut piquée et sans doute laissa-t-il percer un peu de son agacement.

— Elle n'était pas enceinte lorsqu'ils se sont mariés, si c'est ce que tu insinues. Si tu veux tout savoir, je ne suis arrivé que deux semaines après leur premier anniversaire de mariage.

— Alors pourquoi l'a-t-elle épousé ?

A l'entendre, prendre un époux au sein de sa famille était la pire des malédictions… Maks encaissa le coup avec peine.

— De nombreuses femmes auraient été transportées de joie à l'idée d'épouser mon père, s'entêta-t-il.

— Et pourtant, elle était au courant de l'existence de la comtesse avant le mariage ?

Maks n'aimait pas qu'on lui rappelle les infidélités de son père. Ils avaient déjà abordé ce sujet.

— Oui. Pourquoi ?

— Je ne comprends pas que l'on puisse épouser un homme qui est amoureux d'une autre.

— Tu n'auras jamais à connaître ça, rassure-toi.

Maks ne laisserait jamais un tel sentiment obscurcir son jugement. L'amour ne causait que souffrance et vous éloignait de votre devoir et de vos responsabilités.

— Tu pourrais très bien tomber amoureux de quelqu'un dans quelques années, non ? hasarda-t-elle.

Parfait, elle se rendait compte elle-même de l'ineptie de ses arguments…

— Si je devais tomber amoureux de quelqu'un, ce serait de toi.

Elle ne pouvait pas ne pas sentir qu'il était sincère !

— Tu te rends compte de ce que tu dis ? Tu te rends compte du mal que ça me fait ?

En fait, il n'en avait pas la moindre idée. Il avait même cru qu'elle serait heureuse de connaître ses sentiments.

— Tu aurais préféré que je te mente ?

— J'aurais préféré que tu m'aimes…

Maks n'aimait pas lire cette souffrance dans les yeux de Gillian, mais il n'était pas homme à fuir ses responsabilités, aussi soutint-il son regard.

— Je suis désolé.

— Tu m'as déjà dit ça en quittant mon appartement, il y a dix semaines.

— Et j'étais sincère.

Il n'était pas un monstre, tout de même !

Gillian s'affaira à saupoudrer son poulet de parmesan pour éviter de le regarder en face.

— Tout ça va finir en scandale, d'une manière ou d'une autre, dit Gillian.

— Une tempête dans un verre d'eau, tout au plus,

mais rien de dramatique si nous prenons les devants. Mes attachés de presse sont des as.

Il y aurait un petit emballement médiatique — son mariage ne pouvait pas passer inaperçu —, mais son équipe jugulerait l'incident et ferait en sorte de laisser une image positive dans l'esprit du public.

Du moins y parviendraient-ils si la nouvelle de leur séparation ne précédait pas celle du bébé à naître et de leur union, sans quoi ce serait un désastre.

— Demyan est dans le coup ?

Maks ne comprenait pas sa question.

— Il est directeur des opérations pour Yurkovitch Tanner… quel est le rapport ?

— Il a fait des étincelles récemment et il est assez machiavélique pour faire un parfait attaché de presse.

— Je lui transmettrai ton compliment.

— Oui, et dis-lui aussi que ce n'est pas très élégant d'engager des pirates informatiques pour consulter les dossiers médicaux des gens.

— Je te laisserai ce soin.

En réalité, Maks était plutôt heureux que son cousin ait ainsi pris les devants.

— Ne va pas t'imaginer que j'hésiterai à lui dire ses quatre vérités. Il terrifie tout le monde dans votre entreprise, mais je n'ai pas peur de lui.

— C'est pourtant quelqu'un d'intimidant.

Maks lui-même avait cette réputation, même s'il s'employait depuis toujours à se montrer diplomate. Demyan avait conservé ce côté tranchant que la politique n'avait jamais émoussé.

— C'est un type impressionnant.

— Mais toi, il ne t'impressionne pas.

Ils avaient déjà eu cette conversation dans le passé et Gillian l'avait conclue en disant qu'elle ne craignait pas son cousin car Maks veillait sur elle. Le prince lut dans ses yeux qu'elle aussi se souvenait de cette conversation. Elle prit les assiettes qu'elle déposa sur la table basse, tandis que Maks prenait une bouteille de jus de cerise dans le frigo.

— C'est ton préféré, n'est-ce pas ?

— J'en ai rêvé, ces derniers jours…

— Ton corps a sûrement besoin de vitamines A et C.

— Sans doute, docteur Maks.

— J'ai lu que les besoins soudains des femmes enceintes étaient souvent liés à des carences créées par le bébé.

— J'ai lu ça aussi.

— Tu te renseignes donc sur le sujet ?

— Oui.

Elle ne cherchait pas à le nier. Son premier trimestre se déroulait donc bien. Parfait.

— D'après mes propres lectures, le risque de fausse couche est plus proche de dix que de vingt pour cent.

Même si cela dépendait des sources consultées et des médecins. Son pire ennemi, c'était l'angoisse. Le fait d'être enceinte d'un homme qui n'était pas encore son époux, mais qui était destiné à devenir roi, la déstabilisait.

Maks aurait voulu que les choses soient différentes, mais il était ce qu'il était, et tout ce qu'il pouvait faire, c'était alléger un peu les tensions qui habitaient Gillian en réglant ce problème de mariage, le temps que le cap du deuxième trimestre soit franchi.

— Tu penses vraiment que dix pour cent, c'est un bon chiffre ?

— Oui, c'est mon avis.

Gillian s'assit sans chercher à le contredire pour la millième fois. Quel soulagement ! Il fallait qu'elle parvienne à envisager leur situation sous un angle positif. L'esprit était un outil puissant !

Ils mangèrent en silence pendant quelques instants, puis elle se tourna vers lui.

— Merci pour le dîner, c'est excellent.

C'était la première fois depuis longtemps qu'elle le remerciait. Maks voulut y voir un bon signe et s'engouffra dans la brèche.

— Oui, c'est un régal, mais tu n'as pas à me remercier, c'est mon devoir de veiller sur toi. Je te remercie de ne pas m'avoir congédié, ce soir.

— Nous ne sommes pas ensemble, Maks.

— Le bébé que tu portes témoigne du contraire.

— Ce que tu peux être têtu !

— Tu t'es regardée dans un miroir, récemment ?

Elle éclata d'un rire sincère qui lui emplit le cœur de joie.

— Nana a toujours trouvé que j'étais une fausse indécise, car j'ai tendance à ne pas argumenter sur des sujets qui m'importent peu.

Maks commençait à peine à comprendre comment fonctionnait cette femme qu'il avait pourtant fréquentée pendant des mois.

— Mais lorsque cela te tient à cœur, tu es prête à te battre comme une lionne.

— Quelque chose dans ce goût-là, oui.

Pourtant, elle ne s'était pas battue pour leur couple lorsqu'il avait rompu.

Une douleur aiguë perça la poitrine de Maks. Etrange, ce restaurant n'utilisait pourtant pas d'épices dans ses plats…

7.

— J'avais envisagé de célébrer le mariage à bord d'un luxueux bateau de croisière. J'ai un ami qui possède une flotte. Certains de ses navires croisent au large de l'Alaska. Il est fiable et je sais qu'il gardera la nouvelle de notre union secrète.

Gillian sursauta presque en l'entendant parler alors qu'il n'avait quasiment pas ouvert la bouche de tout le dîner.

— Je croyais que tu étais en train de penser à ton travail, mais tu es du genre opiniâtre.

Une opiniâtreté qui l'avait ramené vers elle. Avec le temps, elle aurait sans doute fini par passer à autre chose, par oublier Maks. Elle aurait étouffé le feu de cet amour à sens unique qui lui consumait le cœur lentement. Hélas il était revenu et, en l'espace d'une seule visite, elle s'était retrouvée à son point de départ. Elle connaissait ce sentiment pour l'avoir déjà vécu étant enfant. Elle tirerait de nouveau les leçons de cette nouvelle épreuve et renforcerait sa carapace pour se protéger contre la violence du monde.

— Ne t'inquiète pas, je peux réfléchir à plusieurs sujets en même temps.

— C'est ce que je pensais… avant.

— Qu'est-ce qui t'a fait changer d'avis ?

— Je ne sais pas. Depuis trois jours, je ne cesse de ressasser les mêmes choses : le bébé, ma grossesse, la perspective de ce mariage — et non, je n'ai pris aucune décision à ce sujet, quoi que tu puisses penser.

— Nous sommes tous les deux débordés.

— Très drôle !

— Je ne plaisante pas, j'énonce un fait, c'est tout. Durant les trois jours qui viennent de s'écouler, j'ai négocié les droits d'exploitation pour une mine au Zimbabwe. J'ai signé tout un tas de contrats, évité de justesse une crise diplomatique avec le Canada. J'ai également enchaîné les entretiens pour trouver notre prochain ministre de l'Education. En téléconférence, j'ai joué les médiateurs avec les syndicats de l'une de nos exploitations minières et j'ai finalisé un projet de paquet fiscal pour nos employés expatriés aux Etats-Unis.

D'accord… cela prouvait juste que Maks était une véritable machine de guerre dans les domaines économique et politique.

— Et tu as quand même trouvé le temps de m'envoyer des textos et de me passer des coups de fil chaque jour ?

— Est-ce que ça ne te donne pas une petite idée de mon engagement auprès de toi ?

Gillian voulut lui servir une réponse cinglante, mais ne trouva rien à dire. En effet, Maks avait ménagé du temps pour elle, là où la plupart des hommes l'auraient négligée. Il avait toujours agi ainsi avec elle.

— Tu ne m'aimes pas.

Ce n'était pas une accusation, mais un simple constat. Pourquoi lui faire une telle place dans sa vie, alors même que l'intérêt du pays primait sur toute autre considération ? Quelle idiote elle faisait ! La réponse était dans la question, puisqu'elle s'apprêtait à donner naissance à l'héritier de la Couronne.

— Je ne crois pas que l'amour soit cette force positive dont tout le monde loue les mérites.

— Qu'est-ce que tu en sais ? Tu n'es pas amoureux !

Il le lui avait assez clairement signifié en lui tournant le dos dix semaines auparavant.

Elle en revenait toujours à la question essentielle : devait-elle faire passer son propre bien-être avant celui de son enfant ? Ses propres parents avaient tranché la question et elle en avait souffert toute sa vie durant. Elle ne pouvait se résoudre à reproduire ce terrible schéma.

Pour toute réponse à sa question, Maks leva un sourcil avec une moue sardonique. C'est alors qu'un déclic se fit dans son esprit : si Maks croyait si peu en l'amour, il le devait sans doute à la façon dont son père avait mené sa propre vie amoureuse.

— Ce n'est pas l'amour que ton père avait pour la comtesse qui a posé problème, c'est ce qu'il a fait de ce sentiment, dit-elle.

— Ça, c'est ton avis.

— Il avait le choix et il a opté pour le chemin le plus improbable.

— Tu crois vraiment ?

— Je pense que si la comtesse était comme moi, handicapée par une fertilité défaillante, ton père aurait tout de même pu l'épouser. Ils auraient pu adopter un enfant.

— Et prendre le risque que la mère biologique fasse valoir ses prétentions au trône ? Sûrement pas !

— Il y avait forcément une femme digne de confiance, parmi ses sujets, qui soit prête à consentir ce sacrifice pour le bien du royaume, non ?

— Oui, il y avait ma mère, dont la fidélité à la Couronne était absolue.

— Et elle a demandé à épouser ton père.

— Elle était persuadée de faire une meilleure reine que la comtesse Walek, une femme divorcée qui n'avait pas non plus eu d'enfant de son premier mariage.

Gillian ne put s'empêcher de se demander si la princesse Oxana avait été sincèrement amoureuse du roi Fedir à l'époque, et si sa demande en mariage avait été motivée par des impératifs politiques ou par un élan du cœur.

Peut-être que, à l'image de Léa dans la Bible, elle avait espéré gagner le cœur de son époux en lui donnant des enfants. Cela avait fonctionné pour Léa, mais manifestement pas pour Oxana.

— Ta famille est assez dysfonctionnelle, on dirait.

— Tout autant que la tienne.

— Touché !

Maks lui adressa un regard scrutateur et impénétrable.

— Tu m'as dit que tu m'aimais.

Gillian hésita sur la conduite à tenir. Devait-elle lui répondre ou lui renverser le contenu de son assiette sur la tête ?

— Et alors ?

— Et pourtant tu ne t'es pas battue pour me garder.

— Quoi ? Bien sûr que je l'ai fait !

— Tu m'as chassé de ton appartement.

— Et tu t'attendais à quoi, au juste ? Tu venais de me larguer sans même envisager des solutions alternatives à ma prétendue infertilité !

— Tu aurais pu essayer de me convaincre si c'était vraiment ce que tu voulais, non ?

Comme sa mère l'avait fait pour conquérir son père ? Oh ! oui, on voyait que cela avait fonctionné à merveille !

Gillian ravala ses sarcasmes.

— Tu as admis toi-même que tu ne m'aimais pas, non ?

— Je n'ai jamais clamé mon amour, mais il me semblait évident que je voulais t'épouser.

— Ça l'était.

Et cela n'avait fait que rendre la rupture plus pénible. Il avait foulé aux pieds tous les espoirs qu'elle avait fini par fonder sur leur relation.

— Pourquoi moi ? Je ne suis pas de sang royal, je suis une fille banale.

— C'est faux, tu es une femme intègre.

— Il y en a d'autres.

— Tu es à part et tu as ta propre vie.

— Tu es sortie avec moi juste parce que mon père est un journaliste influent ?

Ce n'était pas la première fois qu'on la fréquentait par intérêt, mais elle n'en avait jamais autant souffert.

— Non, j'étais attiré par toi, point. Ecoute, Gillian, quoi que tu puisses penser de moi, sache que je n'ai aucune envie de reproduire le mariage de mes parents. Tout ce que je veux, c'est lier mon destin à une femme qui me complète, or tu évolues dans les cercles diplomatiques avec une aisance confondante.

— Je suis d'un naturel timide, mais j'ai appris à en tirer profit.

— Et tu renvoies l'image d'une personne réservée mais bienveillante. C'est exactement le genre de talent que notre monarchie recherche chez un diplomate.

— Je suis loin d'en avoir les compétences.

— Mais tu as celles qu'il faut pour être princesse de Volyarus.

— C'est donc le réseau de ma mère qui t'intéresse ? Ça, ce serait inédit, en revanche…

— C'est une personnalité politique d'envergure, à la fois dans son propre pays d'Afrique du Sud et sur la scène internationale.

— En effet.

En féministe accomplie, Annalea Pitsu désapprouverait son mariage avec un monarque.

— Mais elle n'est pas très favorable à la royauté, tu sais ?

Annalea était une femme hyperactive qui ne comprenait pas les choix de vie de Gillian et qui n'en faisait pas mystère lors de leur unique réunion de famille annuelle.

— Et puis j'imagine que ton peuple préférerait que tu épouses une Volyarussienne, non ?

— Si j'avais trouvé la perle rare dans mon pays, je l'aurais poursuivie sans relâche.

— Oh…

Elle avait sa réponse. Maks ne se laisserait pas guider ses choix par ses sujets. Il n'épouserait ni une noble ni une femme issue des classes moyennes — il n'y avait pas de pauvreté à Volyarus, le pays étant trop petit et trop bien dirigé pour cela.

— C'est tout ce que tu trouves à répondre ?

— Tu n'as jamais caché ton attirance sexuelle pour moi.

— Mais ta personnalité m'a attiré avec une force égale. J'aime ton esprit affûté, et puis nous avons de nombreux centres d'intérêt communs.

— Tu pensais que j'étais la femme idéale, en somme ?

— Oui.

— Et c'est là que tu as découvert que je ne pourrais sans doute pas te donner d'enfant.

— Pas facilement, en tout cas.

— Cela t'a contrarié ?

— A ton avis ?

— J'ai cru…

Elle évitait de repenser à cette fameuse nuit mais, à bien y réfléchir, il y avait eu chez lui, ce soir-là, comme une souffrance rentrée. Etait-ce à l'idée de passer une ultime nuit dans ses bras avant de la perdre ? Elle eut presque envie de s'excuser auprès de lui, mais se souvint que c'était lui qui avait décidé de rompre.

— C'était ta décision.

— Et tu n'as pas essayé de me convaincre du contraire ?

— C'est ridicule, s'entêta-t-elle à répondre.

Le convaincre de quoi ? Il n'était pas amoureux ! Elle devait maintenant décider si oui ou non il était sain pour un enfant de grandir dans un foyer où seul l'un des parents aimait l'autre. Son instinct lui suggérait que c'était parfaitement envisageable… C'était peut-être l'occasion de tracer pour son enfant un destin heureux, bien différent du sien.

Mais aurait-elle le courage de franchir ce pas, de laisser Maks la protéger du chaos du monde, alors même qu'il ne l'aimait pas ?

— Tu savais que mon projet était de faire de toi la prochaine reine de Volyarus.

— Je n'y avais pas pensé en ces termes.

— Tu le savais, tu savais que je voulais t'épouser, et pourtant tu n'as pas essayé de me retenir.

Effectivement, de son point de vue, l'argument était valable.

— Qu'aurais-je gagné à insister ?

— Comment ça ? Je croyais que tu étais amoureuse de moi ?

Oui, et elle aurait sans doute réussi à le faire changer d'avis. Après quoi, il se serait senti en position de faiblesse et aurait même douté de ses convictions et remis en cause sa fidélité envers son pays. Si elle voulait toucher le cœur de Maks, elle ne parviendrait à le faire que par l'entremise de leur enfant.

Mais serait-ce suffisant ?

Gillian avait toujours nourri le rêve secret d'être aimée au-delà de toute mesure. Mais elle n'avait jamais voulu que son homme sacrifie tout pour elle… C'était une bonne chose car, même si Maks venait un jour à l'aimer, elle passerait toujours après son devoir envers son pays.

Gillian aspirait à être autre chose qu'à être la femme qui était tombée enceinte du prince par accident. Elle voulait être plus que celle qui avait donné par hasard un héritier au trône. Pourrait-elle se contenter de cela ? Est-ce que cela suffirait à son bonheur ? Peut-être.

— L'amour est une force puissante et je t'aime, Maks.

— Encore aujourd'hui ? Pourtant, tu continues de refuser de m'épouser avant la fin du premier trimestre ?

demanda-t-il avec son sérieux habituel. Je ne vois pas la *force puissante de l'amour* à l'œuvre là-dedans…

Gillian ne trouva rien à répondre, mais fut intriguée par l'expression étrange qu'arborait Maks. Etait-il soudainement devenu… vulnérable ?

— Ça fait mal d'aimer et de ne pas être aimé en retour.

Comment pouvait-il ne pas comprendre une vérité aussi simple ?

— En quoi est-ce que je te fais souffrir ? demanda Maks en se rasseyant.

— Tu ne veux pas être avec moi.

— Je viens de te dire le contraire.

— Oui, mais c'est uniquement à cause du bébé.

— Non, je comptais te demander en mariage avant que tu ne tombes enceinte.

— Mais mon infertilité supposée t'a refroidi.

— Supposée ? C'est un fait médical avéré.

— Alors il se peut que je ne puisse plus jamais avoir d'autre enfant.

Il fallait que Maks l'entende de sa bouche, Gillian ressentait le besoin de le lui dire.

— Dans ce cas, nous aurons recours à l'adoption.

— Je croyais que tu craignais que la mère biologique ne fasse valoir ses droits ?

— Je ne partage pas les craintes de mon père et je ne céderai pas aux pressions de ma mère. Le temps qu'ils réagissent, je serai déjà marié.

— Avec un contrat de mariage minutieusement rédigé, prit-elle le soin d'ajouter.

— Tout à fait, oui.

Gillian eut un rire nerveux. Il acceptait de signer un tel contrat ? Lui, le politicien de haut vol ?

— Tu veux vraiment plusieurs enfants, n'est-ce pas ?

— Oui, affirma avec force celui qui était à la fois prince et enfant unique.

— Même si nous devons adopter pour y parvenir ?

— Oui.

— Et la fécondation in vitro ? demanda-t-elle en portant une main à son ventre dans un geste inconscient.

— Ça dépend de toi. Es-tu prête à tenter l'aventure ? Pour ma part, je ne voudrais pas mettre ta santé en péril par des essais successifs infructueux.

C'était donc la seule réserve qu'il avait au sujet de la fécondation in vitro ?

— Combien d'enfants voudrais-tu avoir ? dit-elle.

— Au moins deux, mais une maison pleine d'enfants me conviendrait bien.

Gillian était fille unique elle aussi, mais elle s'imagina, avec Maks, entourée d'une famille nombreuse, et son cœur se gonfla de joie à cette perspective.

— Tu habites un château, il va falloir du temps pour le remplir !

Maks éclata d'un rire généreux qui fit retomber la tension entre eux.

— Alors pas plus de quatre, dans ce cas.

— Quatre ? répéta-t-elle, la gorge nouée par une émotion qu'elle peinait à identifier.

— Nous ne serons pas seuls pour les élever.

— Je ne laisserai pas des étrangers se charger de l'éducation de mes enfants !

— Bien sûr que non, mais tu pourras éviter d'avoir à changer chaque couche.

Gillian attrapa un coussin qu'elle posa sur ses jambes repliées en tailleur.

— Et toi, tu n'en changeras aucune, car tu es un prince.

— Ce n'est pas ce que j'ai dit.

— Oui, oui… bien sûr…

— Nous avons dévié du sujet initial, on dirait.

— Qui était ?

— Tu me disais que ton amour pour moi te faisait souffrir et que, par conséquent, tu ne pouvais pas m'épouser…

Soudain, la tension revint habiter chacun de ses muscles. Maks n'aimait manifestement pas la tournure que prenaient les choses, mais elle n'avait pas l'intention de le ménager. Il ne l'avait pas ménagée, lui.

— Tu ne m'aimes pas, répéta-t-elle encore, comme un mantra.

— Et alors ?

— Ça complique tout.

— Je ne suis pas d'accord.

— Le contraire m'aurait étonnée !

— Tu deviens sarcastique quand tu es fatiguée, je l'avais déjà remarqué.

— Je ne suis pas fatiguée, se défendit-elle… en bâillant.

— Effectivement, tu es en pleine forme !

— Bon, d'accord, je suis peut-être un peu fatiguée, mais toi, c'est quoi, ton excuse ?

Elle avait du mal à rester fâchée contre lui.

— Pour… ?

— Pour te montrer sarcastique !

— C'est naturel, chez moi.

Sur ce point, au moins ils étaient d'accord.

— Ce que tu dis, c'est que mon non-amour te fait souffrir, c'est bien ça ?

Enfin, il finissait par comprendre !

— Oui.

— Ça n'a aucun sens.

— Tu m'as laissée tomber avec une telle facilité… c'est forcément que tu ne m'aimes pas, sinon tu m'aurais retenue.

— Comme tu l'as fait ? répliqua-t-il en levant un sourcil inquisiteur.

— Moi, c'était différent, tu m'as terriblement manqué.

Et voilà ! Elle venait de lui avouer quelque chose qu'elle aurait préféré garder pour elle. Mais comment lui faire comprendre ce qu'elle ressentait, sans en passer par là ? s'interrogea-t-elle avec colère.

— Moi aussi tu m'as manqué, je te l'ai déjà dit.

— Mais c'était ton idée de rompre, pas la mienne, lui rappela-t-elle en sentant venir la conclusion inévitable de cette discussion.

— Il m'a semblé que je n'avais pas le choix.

C'était pour cette raison que Gillian préférait attendre avant d'envisager un avenir avec lui, un mariage… le titre de princesse.

— Si je perds l'enfant…

— Arrête immédiatement de penser de cette façon ! Tu ne vas pas le perdre ! s'emporta-t-il avec une sincérité troublante.

Gillian n'était pas d'humeur à se battre contre lui. Et puis, chaque jour qui passait ne la rapprochait-il pas un peu plus d'une issue heureuse ?

— Tu pourrais tomber amoureux d'une autre, murmura-t-elle avec un désespoir palpable.

Et cela, même le contrat de mariage le plus verrouillé au monde ne pouvait l'en protéger.

Maks pouvait s'en défendre autant qu'il voulait, l'amour était bel et bien une force irrépressible. Il n'avait qu'à regarder l'exemple de son roi de père pour s'en convaincre. On ne pouvait remettre en question son dévouement au royaume, et pourtant il avait entretenu durant toutes ces années une relation qui mettait en péril les fondements même de la monarchie.

Tout cela par amour pour la comtesse.

— Ça n'arrivera pas, affirma Maks avec conviction.

— Tu ne peux rien faire pour me le garantir, je suis désolée.

— Bien sûr que si ! Il me suffit de le décider et de prendre les mesures nécessaires.

Gillian ne partageait pas sa belle assurance.

— Et comment ?

— Eh bien, pour commencer, en ne permettant à aucune femme de s'approcher suffisamment de moi pour favoriser la moindre intimité, expliqua-t-il comme s'il énonçait une évidence.

Il avait en effet une certaine expérience dans le domaine, mais certaines… proximités pouvaient saper les meilleures intentions.

— Et si elle travaille pour toi ?

— Pure spéculation ! Tu sais déjà que toute mon équipe est exclusivement masculine. Mais dans l'éventualité d'une attirance naissante envers une employée, je m'éloignerais aussitôt, ou je la licencierais si elle devient trop entreprenante.

— Tu ne serais pas tenté d'entretenir cette relation ?

Gillian avait déjà visité les locaux de son entreprise et de certaines succursales, et si son équipe rapprochée était masculine, des dizaines de femmes séduisantes travaillaient pour lui, au siège comme dans les filiales.

— Non. Et toi ?

— Avec un autre homme ? Bien sûr que non !

— Pourtant, même les couples les plus amoureux se trompent parfois.

— Pas tous. La plupart sont fidèles.

— Vraiment, tu en es sûre ?

Qu'est-ce qu'elle en savait ? Oui, elle en avait l'impression du moins…

— Nana et papy ont toujours été fidèles, par exemple.

— Ce sont des personnes exemplaires, concéda-t-il, qui ont toujours veillé à respecter leurs vœux matrimoniaux.

— Oui.

— Et c'est aussi mon intention.

— Tu sembles tellement certain de ne jamais tomber amoureux d'une autre.

— Et tu sembles tellement convaincue du contraire…

— Disons que c'est une possibilité.

Mais plus ils parlaient, moins elle croyait à ce qu'elle

disait. Cet homme avait pris la décision irrévocable de ne jamais baisser sa garde. Elle aurait dû s'en rendre compte dès le début de leur relation. Elle s'était aveuglée elle-même.

— Et même les gens amoureux, il leur arrive de cesser d'aimer, puis de tomber amoureux de quelqu'un d'autre, non ? argumenta-t-il.

— Bien sûr que ça arrive, ne te fais pas l'avocat du diable.

— C'est uniquement une question de volonté. C'est parce qu'ils n'ont pas veillé avec assez de vigilance sur la flamme de leur amour.

— Tu sembles comprendre avec beaucoup de finesse un sentiment qui t'est étranger, dis-moi…

— Oh ! mais je ne nie pas l'existence de l'amour, ce que je remets en question, c'est son pouvoir quasi magique. L'amour affaiblit les hommes et les détourne de leurs devoirs.

Maks était convaincu de son fait, cela se lisait dans chacun de ses gestes.

— Remplace le mot *amour* par le mot *relation* et tu auras une assez bonne idée de la vision que j'ai de notre union.

— Ce mariage est donc à ce point important à tes yeux ? s'enquit-elle en déglutissant avec difficulté.

— C'est ma priorité.

— C'est faux.

— Tu m'accuses de mentir ?

— Evidemment, c'est Volyarus qui passe avant tout le reste et ce sera toujours le cas. Notre mariage ne viendrait qu'en seconde place, même si tu m'aimais.

— Notre mariage et le bien-être du royaume ne sont que les deux faces d'une même pièce.

Une fois de plus, ils ne parlaient pas de la même chose.

— Si tu devais choisir entre un événement politique

d'importance et notre anniversaire de mariage, ce dernier passerait… en dernier.

— Je gère bien mon planning, ça n'arrivera pas.

— Il y a parfois des impondérables.

— Moins que tu ne l'imagines.

Etait-ce une promesse ? C'était en tout cas ce que suggérait son regard. Gillian aurait voulu le croire, de tout son cœur. La vie lui avait appris à ne pas se fier aux apparences et à s'adapter. Ses grands-parents avaient tout sacrifié pour prendre la place de ses parents, et avec quel talent ! Maks lui offrait une chance semblable, un nouveau chemin de traverse. Il ne venait pas vers elle accompagné de Cupidon, mais devait-elle lui tourner le dos pour autant ?

Non, certainement pas.

— Pourquoi un bateau de croisière ? ne put-elle s'empêcher de demander.

— Ariston peut nous garantir une discrétion absolue jusqu'au jour J.

— Ariston ?

— Spiridakous.

— Le milliardaire ?

Elle ne fut pas surprise d'apprendre qu'il était ami avec un personnage aussi puissant. Maks serait bientôt roi et il dirigeait d'ores et déjà un empire minier aux proportions colossales.

— Il a récemment diversifié ses activités.

— En achetant une flotte ?

— Entre autres.

— Et tu as parlé d'une croisière au large de l'Alaska, parce que tu sais que j'en rêve ?

Elle n'avait pourtant mentionné ce projet qu'à une seule reprise… Une seule discussion, mais cet homme n'oubliait jamais le moindre détail.

— Je me ferai toujours un devoir de combler tous tes désirs.

8.

— Toujours ? répéta-t-elle, envahie par un espoir irrépressible.

Si cette fois ses espérances étaient déçues, elle n'était pas certaine de s'en remettre.

— Nous devrions attendre la naissance du bébé avant de…

— Non, ça suffit, plus de pensées négatives.

— Je m'efforce juste d'être réaliste.

Maks éclata de rire, comme si elle venait de lui raconter une bonne blague.

— Tu es l'une des personnes les plus pessimistes qu'il m'ait été donné de rencontrer.

— C'est faux, je suis une optimiste.

— Dans la Forêt des rêves bleus, peut-être.

— Tu aimes Winnie l'Ourson ?

— Ma mère me lisait ses aventures quand j'étais enfant, comme le faisait ta grand-mère. J'ai grandi sur la même planète que toi, tu sais ?

— Je sais bien, c'est juste que…

Gillian ne sut pas comment terminer sa phrase. Elle s'apprêtait à lui dire que son enfance dorée n'avait rien de normal, mais cela aurait été injuste, en plus d'être partiellement faux.

— Si tu es vraiment une optimiste, alors tu auras foi en notre avenir et en celui de notre enfant.

— Eh bien, quelle assurance ! Tu ne doutes de rien !

— C'est que je suis sûr de mon fait.

— Tu es arrogant.

— Ça m'arrive.

Plus souvent qu'il n'en avait conscience, probablement, mais ce n'était pas le moment d'aller le chercher sur ce terrain-là. Tout ce dont elle avait envie, c'était de se blottir contre lui et qu'il lui dise que tout irait bien. Hélas, elle avait appris très tôt que tout se passait rarement comme dans les contes de fées.

La simple idée de se rapprocher de lui, de sentir sa chaleur, l'enfiévra. Gillian se leva et débarrassa les assiettes pour se donner une contenance.

— Je vais mettre ça dans la cuisine.

— Laisse-moi t'aider, lança-t-il en se levant et en commençant à débarrasser la table.

— Je suis enceinte, pas impotente.

— Est-ce que je t'ai pris les assiettes des mains ? demanda-t-il en lui offrant un sourire charmeur.

— Non, c'est vrai.

— Voilà. Je suis prévenant, mais pas envahissant.

Gillian lui rendit son sourire malgré ses doutes et ils remplirent le lave-vaisselle ensemble, dans une atmosphère de paisible complicité.

— Tu es très *fée du logis*, pour un prince, dit-elle soudain.

— Tu m'as déjà fait cette remarque, il me semble.

— Et tu as prétendu à l'époque avoir vécu seul pendant près de dix ans.

— C'est le cas.

— Seul avec une domestique et un majordome, dans un grand loft luxueux.

— Et alors ?

Gillian termina d'essuyer le plan de travail.

— Et tu ne me feras pas croire que ton personnel laissait de la vaisselle sale dans l'évier pour que tu la laves.

— J'ai été à l'université pendant quatre ans, plus deux années pour terminer mon master, expliqua-t-il en nettoyant à son tour les plaques de cuisson d'un geste sûr. J'ai lavé seul mon linge et ma vaisselle pendant six ans.

— Tu ne vivais pas sur le campus ?

— Si, pendant les premières années, mais ça ne m'empêchait pas de cuisiner. La seconde année, j'ai emménagé avec Demyan.

— Sans personnel ?

Elle imaginait mal Demyan se débrouiller seul.

— Nous voulions tous deux avoir notre intimité.

Deux étudiants se débrouillant par eux-mêmes… Et pourquoi pas, après tout ?

— Cela t'a été profitable ?

— Oui. Tous les citoyens de Volyarus ne sont pas nés avec une cuillère en argent dans la bouche. Il m'a fallu connaître la vie de mes sujets pour servir au mieux leurs intérêts, expliqua-t-il en ôtant sa veste de costume, qu'il posa sur le dossier de la chaise de cuisine.

— Et tu crois que vivre seul pendant trois ans t'y a aidé ?

Il dénoua sa cravate, qu'il posa soigneusement sur la veste.

— Oui, tout comme le temps passé à vivre auprès de différentes familles du royaume durant l'été.

— Je suis surprise que tes parents t'aient autorisé à faire une telle expérience, ajouta-t-elle en montant d'une octave lorsqu'il déboutonna sa chemise, révélant son maillot de corps.

— Ce sont eux qui m'y ont incité. Mon père l'avait fait, et son père avant lui.

Maks conserva sa chemise, mais ses intentions étaient claires.

— C'est incroyable, commenta-t-elle en faisant mine d'ignorer son manège.

— Mais notre enfant ne pourra sans doute pas faire

de même : les temps changent et la sécurité devient de plus en plus importante.

— Nous vivons dans un monde hyperconnecté.

Quelques années auparavant, Volyarus pouvait utiliser son relatif anonymat comme une forme de protection, mais aujourd'hui ? Internet et les paparazzi interdisaient désormais aux puissants de profiter d'un seul instant de liberté.

— Oui, cela contraste violemment avec la liberté dont nous jouissions il y a peu à Volyarus, dit-il d'un ton de regret en s'adossant au petit meuble sur lequel elle rangeait son courrier.

Gillian ne tenait pas en place. Elle vérifia le minuteur du lave-vaisselle, déplaça un bibelot de quelques centimètres en évitant soigneusement de croiser son regard.

— Tu es forcé de vivre comme un reclus pour ne pas risquer un enlèvement.

Gillian fut alors traversée par l'idée terrifiante que ce serait aussi le destin de son enfant.

— Ou un assassinat, ajouta Maks.

Un frisson parcourut l'échine de Gillian.

— Ne parle pas de malheur !

— Tu sais maintenant ce que je ressens lorsque tu parles de perdre notre enfant.

— Je ne cherchais pas à t'inquiéter.

— Moi non plus.

— D'accord, message reçu, j'arrête avec les allusions aux fausses couches.

— Et ce mariage ? hasarda-t-il avec son charme habituel.

— Sur un navire de croisière ?

— Si l'idée te déplaît, on trouvera autre chose.

— Non, ça me plaît.

Terriblement.

— Ariston sera ravi de l'apprendre ! s'exclama Maks, démontrant surtout que ce serait lui, l'homme comblé.

— Tu lui as déjà parlé de ce projet ?

— Je suis un homme entreprenant, tu le sais déjà.

— Oui, mais…

— Ariston a lui-même traversé des problèmes de couple, il n'est que trop heureux de nous aider.

— Je veux que nana et papy soient présents.

— Absolument.

— Le contrat de mariage risque de te gâcher la fête, dit-elle avec une grimace contrite.

— Sois rassurée, je te demanderai de t'engager à en respecter les termes tout autant que moi, riposta-t-il avec un sourire ravageur.

— Aucun problème.

Il acquiesça, comme si tout se passait conformément à ses espérances.

Gillian prit une profonde inspiration avant de prononcer les mots fatidiques :

— J'accepte de t'épouser.

Elle ne pouvait pas priver son enfant de son héritage, et puis… elle était amoureuse. Maks avait l'air tellement déterminé à faire de leur mariage une réussite exemplaire ! Comment envisager l'avenir sans lui ?

— Merci, soupira-t-il en sortant de sa poche la petite boîte bleue.

— Tu savais que j'allais accepter ?

Il ouvrit l'écrin et contempla le somptueux bijou.

— J'espérais, mais j'avais un plan de secours.

— Lequel ?

Il avait prévu de la séduire, sans doute.

— Ma mère.

Gillian écarquilla les yeux. Appeler en renfort une femme qui s'était montrée inflexible dans la gestion de sa famille et de son pays était pour le moins étrange…

— Je suis heureuse que tu n'y aies pas eu recours.

Maks pouffa en lui tendant la bague qu'il venait de sortir de son écrin.

— Ma mère n'est pas si terrible.

— Elle est beaucoup plus effrayante que Demyan, en tout cas.

— Je ne crois pas, objecta-t-il en approchant la bague de son doigt.

Gillian eut un mouvement de recul incontrôlé.

— Tu ne veux toujours pas que je te touche ?

— Je…

Elle ne comprenait pas sa propre réaction.

— Tu veux bien que j'essaie encore ?

— Oui, je veux bien.

— Je crois que tu en as envie, confirma-t-il avec un regard de prédateur.

— Mais…

Il la fit taire en posant un doigt sur sa bouche.

— Non. Notre séparation t'a incitée à te mettre à l'abri dans ta coquille. J'aimerais que tu retrouves la lumière du soleil.

— Tu n'es pas le soleil.

— Mais toi, tu es une fleur qui s'apprête à refleurir.

Il venait de prononcer cette phrase sur un ton tel que Gillian y décela un sens caché qui la fit rougir.

— Arrête de jouer les princes du désert.

— Rassure-toi, je me contente d'être volyarussien.

Ça, ça ne faisait aucun doute ! Personne n'était aussi fier de son héritage que le prince royal Maksim de la maison Yurkovitch.

Curieusement, malgré son désir de sentir son corps contre le sien, elle éprouvait un besoin inexplicable de conserver une certaine distance.

Elle fit un effort conscient pour se détendre, mais les muscles de son cou et de son dos refusaient d'obéir. Maks posa les mains sur ses épaules et elle se contracta aussitôt, mais cette fois elle parvint à ne pas bouger.

Son souffle se fit court, haché.

Maks posa sa main sur la poitrine de Gillian et il perçut les battements affolés de son cœur.

— Tu réagis un peu trop vivement, tu ne crois pas ?

— Si.

Mais elle ignorait comment faire autrement.

Leurs corps étaient si proches qu'elle sentait sa chaleur. Auparavant, cette proximité l'excitait et la réconfortait tout à la fois. D'ordinaire, elle aimait l'idée qu'il passe la nuit avec elle et qu'il la réchauffe au creux de l'hiver.

Désormais, elle avait le sentiment que cette proximité dangereuse était un piège qui allait se refermer sur elle.

Que lui arrivait-il donc ?

— Ton corps réagit étrangement à mes caresses. On dirait que tu me fuis.

— J'ignore ce qui se passe…

Elle mentait, car elle le savait très bien. Maks l'avait abandonnée et sa souffrance avait été plus grande encore que celle qu'elle avait ressentie durant son enfance, face à l'indifférence de ses parents. Son corps réagissait de manière instinctive face à une menace potentielle.

Maks n'avait pas cherché à la faire souffrir, mais la blessure n'en demeurait pas moins réelle. Comment aurait-il pu en comprendre la profondeur, lui qui ignorait le pouvoir de l'amour ? Au moins, il avait vu juste sur un point : l'amour n'était pas toujours une force positive.

Elle était la seule à pouvoir y faire quelque chose et, en effet, elle aurait sans doute dû se battre pour retenir Maks lorsqu'il s'était détourné d'elle. Mais elle avait appris très jeune, trop jeune, qu'il était parfois inutile de se battre pour gagner l'amour d'autrui.

— J'ai essayé, mais ça n'a pas marché.

— Tu as essayé quoi, *myla moja* ?

C'était le terme ukrainien pour « ma chérie », et cela la toucha infiniment plus qu'une caresse.

— J'ai essayé de gagner l'amour de mes parents.

— Je n'ai peut-être pas de place pour l'amour dans ma vie, mais je veux partager mon existence avec toi.

Pouvait-il tenir ce genre de promesse ? A voir sa détermination, il semblait en être persuadé, mais Gillian ne partageait pas son assurance, même si elle avait envie de croire en lui.

— Tu as fait de ton mieux pour être parfaite, irréprochable, en te disant qu'ils finiraient par t'aimer ? supposa-t-il.

— Oui, mais cela s'est retourné contre moi. Ils ont eu le sentiment que je me débrouillais très bien toute seule. Même nana ne s'est jamais rendu compte à quel point j'avais souffert de l'absence de Rich et d'Annalea. En fait, ma mère me cite souvent en exemple lorsqu'elle parle de l'intérêt de faire des choix rationnels dans l'existence.

— Elle prétend qu'abandonner son rôle de mère était finalement le meilleur choix pour tout le monde ?

— C'est son point de vue, oui.

— Elle t'aurait moins fait souffrir en te faisant adopter.

— Nana aurait refusé, elle a insisté pour m'élever elle-même. Elle et papy m'aiment, même si je ne suis pas leur fille.

— Ils ne t'ont jamais rejetée.

— Pas une seule fois.

— Mais ils ne te considèrent pas comme leur fille, même s'ils t'ont élevée.

— Comment le pourraient-ils ? J'ai des parents, malgré tout.

— Et puis, cela les aurait forcés à admettre que Rich, leur propre fils, n'était pas à la hauteur de leurs attentes.

Gillian fut d'abord stupéfaite de constater qu'il comprenait ce qu'elle avait vécu, avant de se souvenir qu'au sein de sa propre famille il avait connu le même genre de problèmes à plusieurs reprises.

— Oui.

— Et pourtant tu es toujours là, combative.

— Quand il s'agit de certains sujets, oui, répondit-elle sans parvenir à détourner le regard.

— Des sujets importants, dit-il en insistant étrangement sur le dernier mot.

— Quand tu es parti, j'ai pleuré. J'ai été malade de désespoir pendant trois jours entiers. J'ai fait d'horribles cauchemars mais, en me réveillant, je comprenais qu'il s'agissait de vrais souvenirs.

— C'est… je…

L'expert en communication qu'il était semblait à court de mots.

— C'est ce qu'éprouvent ceux qui vivent un deuil.

— Mais je ne suis pas mort !

— Notre relation, si. Je t'avais perdu. Sans aucun espoir de te voir revenir.

— Et pourtant tu n'as pas cherché à me contacter dès que tu as appris ta grossesse, argumenta Maks, manifestement en pleine incompréhension.

— Je savais que tu me proposerais le mariage et je n'étais pas sûre d'être assez forte pour refuser.

— Je ne vois pas en quoi ce serait être faible que de faire ce qui est bon pour notre enfant, même si cela doit te coûter.

— Je parle de faiblesse, car j'en mourais d'envie, et je ne voulais pas que tu te sentes piégé.

— Je ne me suis jamais senti piégé, et je n'ai jamais voulu te faire le moindre mal, avoua-t-il, la gorge serrée.

— Je te crois.

— Et pourtant je t'ai fait souffrir.

— Oui.

— Je ne te quitterai plus jamais, promit-il en lui glissant la bague au doigt.

Elle savait bien que ce serment n'était motivé que par l'intérêt de l'Etat et par la perpétuation de la lignée royale. Son cœur bondit pourtant dans sa poitrine, et le diamant à son doigt lui apporta infiniment plus de réconfort qu'elle ne l'avait imaginé.

Peut-être ne guérirait-elle jamais tout à fait de cette rupture, mais c'était un baume si apaisant !

— Moi non plus, je ne te quitterai jamais.

— Je sais.

Maks laissa échapper un soupir.

— Il me reste à convaincre ton corps qu'il m'appartient.

— Je te trouve très exclusif.

— Ça n'a rien de nouveau.

— En fait si, un peu.

Il s'était montré possessif avec elle dans le passé, mais pas d'une façon aussi primaire.

— On dirait un homme des cavernes.

Dans l'œil prédateur de Maks luisait une sensualité brûlante.

— Tu portes mon enfant, ça me rend très possessif, cela m'évoque mes ancêtres, mes racines…

— Oh…

— J'ai lu que certaines femmes voyaient leur désir sexuel décuplé durant la grossesse.

— Je…

Gillian n'était pas certaine de ce qu'elle ressentait à ce sujet, là, tout de suite. Elle avait toujours eu très envie de lui, depuis le début, comment ce désir pouvait-il encore augmenter ?

— En tout cas, j'ignorais que la grossesse de sa femme pouvait avoir le même effet sur le futur papa, ajouta-t-il, précisant ainsi sa pensée.

Maks avait envie d'elle, mais il ne s'agissait pas d'un besoin de sexe banal, quotidien. Il voulait la faire sienne, et cela la fit frissonner.

— Tu as froid ? ronronna-t-il en se rapprochant, laisse-moi te réchauffer.

— Je n'ai pas fro…

Il l'interrompit d'un baiser impérieux. Son corps, si

rétif quelques secondes plus tôt, capitula sans résistance à cet assaut. La langue de Maks s'insinua entre ses lèvres, et sa main lui caressa l'épaule avant de venir saisir son sein. L'afflux d'hormones avait rendu Gillian sensible à l'extrême, et cette caresse à travers son pyjama trouva un écho au plus intime de son corps. Haletant contre sa bouche, elle l'encouragea à continuer. En réponse, Maks émit un grognement guttural et triomphant qui fouetta son excitation naissante.

En société, il avait les manières d'un prince mais, au lit, c'était un cosaque sans pitié qui prenait ce qu'il désirait par la force.

Il ne lui suffirait pas de lui passer la bague au doigt et de la prendre pour princesse, il réclamait la possession inconditionnelle de la forteresse de son corps, la loyauté de son âme et de son cœur… Et Dieu lui pardonne, elle était prête à les lui offrir.

Accepter de l'épouser signifiait, d'une simple phrase, lui faire allégeance.

Maks fit glisser son autre main de sa nuque à ses fesses, qu'il caressa, et, bientôt, leurs corps furent aussi proches que leurs vêtements le permettaient. Elle perçut la raideur de son sexe contre son ventre tandis qu'il glissait sa cuisse entre ses jambes. Un plaisir fulgurant la traversa alors qu'il exerçait cette simple pression contre le cœur de sa féminité, dans une position à la fois protectrice et extrêmement excitante.

Gillian prit l'initiative en lui saisissant la nuque, enfouissant les doigts dans l'épaisseur de ses cheveux. Maks l'embrassa de plus belle, sans cesser ses caresses.

Gillian languissait d'être nue, mais elle refusait de mettre fin à ce baiser pour le lui dire.

La main du prince continua de glisser sur ses fesses, tout en l'incitant à replier sa jambe. Les sensations cascadaient entre ses cuisses à chaque mouvement, même le plus infime ; elle craignit d'avoir un orgasme avant même d'avoir ôté ses vêtements.

Maks semblait vouloir la faire jouir aussi vite que possible, ce qui ne lui ressemblait pas. Mais n'avait-il pas dit qu'elle lui avait terriblement manqué ? Elle n'aurait su dire si c'étaient ses hormones, ou ce célibat de dix semaines qui la mettait dans cet état, mais elle avait envie de le dévorer. Elle avait envie de sexe, brut, passionné. Elle ne voulait pas qu'il la traite comme une chose fragile, sous prétexte qu'elle était enceinte. Elle avait besoin de sentir son désir de façon animale !

9.

Gillian avait accepté de vivre avec cet homme qui ne l'aimait pas. Aussi avait-elle besoin qu'il se montre passionné afin de compenser ce manque terrible.

La main de Maks glissa sous son T-shirt, vers sa poitrine nue, saisit le téton douloureusement durci, avant de caresser son sein tout entier.

Gillian gémit sans chercher à dissimuler ce qu'elle ressentait. Au moins, lorsqu'ils faisaient l'amour, ils partageaient une relation franche — et qu'elle espérait durable.

Ce n'était peut-être pas de l'amour, mais ce n'était pas uniquement du désir. Elle l'aimait trop pour cela, et il avait trop besoin d'elle.

Il pinça légèrement son mamelon et elle poussa un petit cri contre ses lèvres.

— Tu es à moi !

— Tu es encore plus arrogant que dans mon souvenir.

Les yeux noirs de Maks scintillèrent.

— Admets-le. Toi et l'enfant que tu portes, vous m'appartenez.

— Oui, nous t'appartenons, mais n'oublie pas que cela suppose certaines responsabilités. Tu vas devoir prendre soin de nous, et je ne parle pas d'argent…

Elle avait un travail et pouvait subvenir à ses propres besoins.

— Je le sais, répondit-il avec sérieux. Je sais aussi

que tu crains que je te fasse souffrir comme mon père a fait souffrir ma mère, mais ça n'arrivera pas.

— Ton père n'aurait jamais pu faire autant de mal à ta mère que tu pourrais m'en faire.

Maks ne sembla d'abord pas comprendre, puis son regard s'illumina.

— Parce que toi, tu m'aimes.

— Oui.

Si la reine Oxana avait aimé le roi Fedir autant que Gillian aimait Maks, elle ne l'aurait pas contraint à cette double vie sordide. Son bonheur à lui aurait prévalu.

Si Gillian avait eu l'impression qu'épouser Maks pouvait le faire souffrir, elle aurait refusé.

— Tu ne dis pas que tu m'aimes simplement parce que ce sentiment n'est pas réciproque, hein ? demanda-t-il sans cesser ses affolantes caresses.

— Ça t'ennuierait que ce soit le cas ? haleta-t-elle.

L'espace d'un instant, Maks cessa de bouger et elle le sentit vulnérable entre ses bras. Puis il se referma aussitôt.

— C'est possible.

— Je n'ai pas l'intention d'arrêter pour autant.

Après tout, peut-être finirait-il par comprendre ce sentiment, avec le temps ? Restait à espérer qu'il en trouverait la clé auprès d'elle et non d'une autre.

— Ça suffit !

— Quoi ?

— Tu recommences à penser de façon négative.

— Comment le sais-tu ?

— Tu as ce regard voilé, comme si la vie pouvait te voler tous tes plaisirs à n'importe quel instant.

— Ne sois pas ridicule ! esquiva-t-elle en détournant les yeux.

Comment faisait-il pour lire en elle avec une telle aisance ?

Maks baissa la tête vers elle, mais au lieu de l'embrasser, il vint lui mordre le cou. Ce simple geste amena Gillian au bord de l'orgasme. Maks ne lui laissa plus l'occasion de parler.

Bientôt, elle criait de plaisir, sans chercher à dissimuler sa jouissance tandis que son corps était secoué de spasmes délicieux. Maks ne perdit pas de temps et la déshabilla au milieu de la cuisine. Il lui arracha presque son pyjama, avant de la plaquer contre le mur. Puis, lui écartant les jambes, il la souleva du sol. Sa verge dressée vint appuyer contre le sexe de Gillian. Maks marqua un temps d'arrêt pour profiter de l'instant. Les muscles de son cou étaient tendus par l'effort de volonté qu'il faisait pour ne pas la prendre sur-le-champ.

— Tu es la seule femme avec qui j'aie fait l'amour sans utiliser de préservatif.

— Même quand tu étais jeune et stupide ? demanda-t-elle, le souffle court, en le sentant entrer très doucement en elle.

— J'étais peut-être jeune, je n'étais pas à ce point stupide.

— Tu n'as jamais eu peur d'attraper une maladie avec moi ?

— J'ai consulté ton dossier médical.

— Je vois…

— Tu veux une réponse sincère ?

— Oui.

— Ça ne m'a jamais traversé l'esprit.

— Parfait, soupira-t-elle, soulagée.

Maks laissa alors libre court à ses pulsions et la pénétra plus avant sans plus chercher à se refréner. Il émit un bruit de gorge qui démultiplia le désir que Gillian avait pour lui.

La retenue qu'il affichait en toutes circonstances vola alors en éclats et il lui fit l'amour avec une fureur animale. Son corps puissant allait et venait telle une machine implacable entre ses jambes, une machine entièrement vouée à son plaisir.

Leurs souffles se mêlèrent, syncopés, chaotiques.

— Plus jamais…, murmura-t-il entre ses dents serrées, tout en donnant un nouveau coup de reins.

— Plus jamais, répéta Gillian sans trop savoir ce qu'elle disait

— Dix semaines, c'est beaucoup trop long.

Dix semaines sans sexe, comprit-elle. Si seulement il pouvait remplacer le mot *sexe* par le mot *amour*…

— Je veux que tu jouisses encore pour moi, réclama-t-il sans cesser de prendre possession de ce corps qui semblait désormais leur appartenir à tous deux.

Gillian ne répondit rien et se laissa guider par des sensations, qui gagnèrent en intensité, encore, et encore, et encore… jusqu'à exploser en elle avec une force incroyable.

Cette fois, ils jouirent à l'unisson et elle le sentit se libérer en elle, chaud, puissant. Puis Maks enfouit le visage dans le creux de son cou, sa poitrine puissante se soulevant au rythme de son souffle, tandis qu'il répétait en boucle un unique mot : *Moja*.

« Mienne. »

Leur étreinte avait été passionnée, bestiale, sans aucun romantisme. Gillian, elle, avait ressenti une intensité si comparable à celle qui les avait unis dix semaines auparavant qu'elle en eut les larmes aux yeux.

Maks sembla percevoir son trouble et se redressa sur son coude.

— Ça ne va pas ? s'enquit-il avec inquiétude.

— Si.

— Alors pourquoi ces larmes ?

— J'aurais du mal à l'expliquer.

— Ce sont tes hormones ?

— Peut-être…

Maks lui prit doucement la main et la porta à ses

lèvres. Il déposa un baiser sur le doigt qui portait la bague. Le message était clair : tu es à moi. Puis, retrouvant sa délicatesse coutumière, il recula et la reposa au sol avec précaution, sans cesser de la soutenir, avant de la soulever de terre une nouvelle fois pour la conduire jusqu'à la salle de bains. Ce n'était pas aussi luxueux que l'immense baignoire de la suite princière. A vrai dire, il y avait à peine de la place pour une seule personne… à moins de prendre une douche. Mais quelque chose lui disait que l'intention de Maks était toute différente. Gillian ne voulait pas perdre le lien fragile qui était en train de se tisser de nouveau, aussi le laissa-t-elle faire sans rien dire.

Il fit tourner le robinet et versa ses sels de bain favoris. Sans même y penser, Maks posa une main sur sa cuisse tandis qu'il prenait soin de remuer l'eau pour la faire mousser.

— L'odeur du romarin me fait penser à toi.

— C'est la symbolique de cette fleur, il me semble : la fleur du souvenir.

— Romarin et menthe, j'aime le parfum de tes sels de bain.

Après leur rupture, Gillian avait fait en sorte de changer de parfum… mais elle se garda bien de lui en parler.

— Moi aussi, j'aime beaucoup.

Maks la prit dans ses bras et la déposa dans l'eau chaude, geste que Gillian décida d'interpréter comme de la tendresse.

— Tu sais, je suis enceinte, pas infirme.

— Nous venons de faire l'amour avec passion. J'entends bien prendre soin de toi comme il me plaira.

— Il faut toujours que tu diriges tout, hein ?

— Et toi, tu es trop indépendante…

— Si tu voulais une femme soumise, il ne fallait pas m'épouser.

— Il ne s'agit pas de soumission, mais un soupçon d'attachement ne peut pas faire de mal.

— Les hommes comme toi n'aiment pas les femmes trop collantes.

— Et où es-tu allée chercher ça ? demanda-t-il en entreprenant de lui savonner le corps. Sache que j'apprécierais que *tu* me colles un peu.

— C'est faux.

— Je pense encore savoir ce dont j'ai envie.

— Tu sais que tu parles de manière un peu précieuse, lorsque tu es agacé ?

— On ne me l'avait jamais dit, non.

— Oh… Eh bien, je ne voudrais pas semer le trouble dans tes affaires ou tes activités diplomatiques.

— Elles sont souvent liées, dans mon pays.

— C'est le cas pour la plupart des pays, il me semble.

— Tu as sans doute raison, concéda-t-il sans cesser de la laver.

— Tu ne quittes jamais cette posture de chef ?

— C'est un trait de caractère que tu parviens très facilement à contourner, non ?

— Tu me prêtes des talents que je n'ai pas.

— J'ai fait de toi ma princesse, bien sûr que tu les possèdes.

— Le monde est très tranché pour toi, n'est-ce pas ? Tout est soit noir soit blanc.

— Je fais simplement ce que je dois faire et je sais ce que je veux, expliqua-t-il en s'asseyant sur la moelleuse descente de bain.

Il continua de la frotter, comme si le moindre orteil nécessitait une attention toute particulière.

— Et à quelle catégorie est-ce que j'appartiens, moi ? demanda-t-elle en regrettant aussitôt d'avoir posé la question.

— Tu oses me poser cette question après ce que nous venons de vivre ?

— Je deviens collante, on dirait !

A sa grande surprise, Maks lui offrit un large sourire.

— Continue, cela me convient. Je te veux. Je te veux de toutes mes forces.

Ce n'était pas de l'amour, mais c'était déjà ça.

Maks prit Gillian endormie dans ses bras. Elle avait un visage parfaitement serein dans le sommeil. Il avait un planning très chargé pour la matinée, mais il s'était autorisé à dormir plus que de raison.

Il ne parvenait pas à se défaire de la sensation qu'il avait évité un désastre de justesse, sans comprendre lui-même comment il s'y était pris… Gillian avait accepté de l'épouser : il n'en revenait pas.

Elle avait décidé que l'avenir de leur enfant primait sur le reste, et tout en lui affirmant qu'elle l'aimait, elle avait refusé de s'engager avant la fin du premier trimestre de grossesse, avant de finalement céder.

Est-ce que c'était le sexe qui l'avait fait ainsi changer d'avis ?

Leurs ébats étaient certes explosifs, mais cela suffisait-il à expliquer qu'elle ait fait ce grand pas en avant ? Il était heureux qu'elle ait accepté sa demande, bien sûr, mais Maks n'aimait pas que les motivations de ses partenaires lui demeurent obscures. Il devait peut-être cette méfiance naturelle à la façon dont il avait été éduqué, ou à la fonction qu'il occupait… Il ne pouvait se contenter d'avoir une information, il voulait en connaître la source.

Depuis toujours, sa vie était précisément comparti-mentée. La place qu'occupait Gillian avait changé dix semaines plus tôt, quand Maks avait eu les résultats de ses examens médicaux. Le fait qu'elle accepte de l'épouser aurait dû doter leur couple d'un nouveau statut clairement défini, or ce n'était pas le cas.

Maks était dans le flou.

Et même si cela le mettait dans l'inconfort, il était heureux qu'elle ait accepté de se fondre dans ce moule.

Il était forcé d'admettre qu'elle remplissait un vide dans sa vie, un vide dont il ignorait l'existence jusque-là. Il avait vécu ces dernières semaines comme un fantôme, en prenant peu à peu conscience que les responsabilités qui étaient les siennes ne suffisaient pas à le rendre heureux.

Une nuit d'amour inoubliable, quelques heures passées avec elle, et voilà que cette sensation de vacuité s'envolait.

Il fallait qu'elle reste près de lui, pour toujours. Gillian était convaincue qu'un contrat de mariage les protégerait, elle et leur enfant, mais en réalité Maks le voulait autant qu'elle, ce contrat. Il désirait que leur union dure toujours, contrairement à l'exemple désastreux de leurs parents respectifs.

Maks prit la main de Gillian dans la sienne, cette main qui arborait la bague de fiançailles.

Le précieux bijou témoignait du lien qui les unissait, tout comme le faisaient les stigmates de leur passion, qu'elle portait dans le cou et sur la poitrine.

Il voulait qu'elle soit sienne et lui appartenir en retour. Gillian avait raison de le trouver possessif. Maks serait roi un jour, il avait grandi dans le principe souverain de l'allégeance.

— A quoi as-tu pensé en te réveillant ? lui demanda-t-elle d'une voix ensommeillée où pointait un soupçon de désir.

— Que veux-tu dire ?

Elle remua les hanches pour venir agacer son sexe déjà durci.

— A ton avis ?

— Oh ! ça ?

— Oui. *Ça.*

Elle éclata d'un rire si féminin que son érection gagna encore en intensité.

— Mon désir pour toi n'a rien de nouveau.

— Non, en effet, mais ça me plaît toujours autant, minauda-t-elle en lui offrant son beau regard bleu.

— Moi aussi.

— Tu veux qu'on s'y intéresse de plus près ?

Leurs rires se mêlèrent en un baiser fougueux.

Ils firent l'amour de tout leur corps, de toute leur âme. Gillian s'offrit entièrement, et Maks se félicita encore une fois à l'idée qu'elle allait être sa femme.

Lorsque la fièvre fut retombée, elle vint se blottir dans ses bras, un geste inhabituel de sa part. Maks aurait voulu que ce moment dure toujours, mais il ne pouvait pas fuir davantage ses obligations. Le planning de la journée avait été fixé avant qu'il n'arrive chez Gillian, la veille, et il allait devoir annuler la téléconférence planifiée avant son vol matinal.

Maks se leva donc à regret, avec encore plus de réticences qu'il ne s'y était attendu.

— Je dois retourner à Volyarus ce matin.

Il ne lui échappa pas qu'elle ne fit rien pour tenter de le retenir. Pour quelqu'un qui était censé être amoureuse de lui, il la trouva particulièrement peu démonstrative au moment de l'inévitable séparation ! Maks refusait de se l'avouer, mais il craignait d'avoir plus besoin d'elle que l'inverse.

Gillian se redressa sur le lit et ramena la couverture sur son corps nu dans un geste de pudeur futile, mais étrangement séduisant.

Du reste, y avait-il un seul aspect de sa personnalité qui ne le séduisait pas ?

— D'accord, mais tu devrais prendre une douche avant de partir, dans ce cas, suggéra-t-elle en se recoiffant.

— Tu ne me demandes pas si je suis vraiment forcé de partir, ni quand je reviendrai ?

Elle aurait tout de même pu montrer un peu d'intérêt !

Gillian fronça les sourcils.

— Quoi, tu veux que je te fasse réviser ton planning de la journée ? Ce serait plus simple de synchroniser nos agendas, non ?

Maks fut saisi d'une fureur soudaine.

— Je te trouve très branchée nouvelles technologies, pour une artiste.

— Que veux-tu ? Je suis esclave de mon Smartphone, tu le sais bien…

— Oui, je le sais.

Il aurait dû lui acheter le modèle dernier cri plutôt que de se ruiner avec cette bague ridicule chez Tiffany.

— Toi, tu es sur le point de faire une remarque désobligeante. Je te suggère de la garder pour toi.

— Tu lis dans les pensées, maintenant ?

— Tu es renfrogné.

Vexé, Maks se redressa.

— Je n'ai pas mon pareil pour dissimuler mes pensées, affirma-t-il fièrement.

Il s'y entraînait depuis l'âge de six ans.

— Sauf quand tu te détends.

— Peut-être me suis-je un peu trop relâché en ta présence ?

— Nous allons nous marier, alors j'espère bien que tu vas te relâcher avec moi !

— Oh…

Il n'avait pas envisagé les choses sous cet angle.

— Mes parents n'ont jamais été très proches l'un de l'autre de ce point de vue.

— Mais nous sommes convenus de ne pas répéter leurs erreurs, n'est-ce pas ?

— Absolument.

Elle exigeait qu'il ait confiance en elle, comme il avait confiance en Demyan ; étrangement, il trouva cette exigence légitime.

— J'aimerais que tu m'accompagnes.

— Ce matin ?

— Oui.

— Mon planning pour aujourd'hui et demain est complètement plein.

— Tu travailles trop.

— Si je ne le fais pas, qui va payer les factures ?

— Tu n'es plus seule, je te rappelle.

— Attends une minute… tu crois que je vais quitter mon travail du jour au lendemain parce que nous sommes fiancés, et que je vais te laisser subvenir à mes besoins ?

— Je ne te demande pas d'arrêter, mais tu pourrais lever le pied. Je serais plus rassuré, et ton médecin aussi, sans doute.

— Elle ne m'a fait aucune recommandation particulière au sujet de mon travail. Ce n'est pas une profession fatigante physiquement, il n'y a aucun risque.

— Mais cela te stresse.

— Pour le moment, ça va.

C'est ce qu'elle prétendait, mais ses yeux las tenaient un autre discours.

— Je crois que tu pourrais travailler un peu moins.

— Je ne suis pas une fainéante.

— Je le sais.

— Tu n'attends pas de moi que je quitte mon travail ?

— Non.

— Tu ne me le demanderas pas une fois que nous serons mariés ?

— La photographie te procure de grandes satisfactions, pourquoi voudrais-je t'en priver ?

Maks avait toujours eu le sentiment d'avancer en terrain miné lorsqu'il discutait avec une femme. A présent que Gillian avait accepté de l'épouser, il avait espéré que leur relation serait plus simple, plus directe.

— Mon père critique mes couvertures de romans avec dureté et il est à peine plus tolérant avec les portraits que je réalise, expliqua-t-elle, mais au moins il leur concède une certaine valeur artistique.

— Je ne suis pas ton père. Et tes portraits sont de fantastiques œuvres d'art. Je ne suis pas un expert, mais tes couvertures me semblent également très agréables à l'œil, affirma Maks qui avait déjà eu l'occasion de feuilleter son book.

Il ne mentait pas. Elle avait une patte unique pour capter les visages et il s'étonnait qu'elle n'en ait pas déjà fait son cheval de bataille.

Lorsqu'il avait évoqué son travail, elle avait prétendu que ses tarifs étaient élevés et qu'elle s'autorisait le luxe de sélectionner ses clients. En revanche, elle ne disposait pas de la même liberté avec les couvertures de romans. A ses yeux, il s'agissait de deux formes d'expression artistique distinctes, chacune intéressante à sa façon.

— Donc, tu veux que je travaille moins ? demanda-t-elle une nouvelle fois avec prudence.

— La vie d'une princesse est exigeante. Et ton corps doit déjà supporter les tensions de la grossesse.

— Combien de temps vas-tu rester à Volyarus ?

— Deux semaines. J'aurais déjà dû y retourner depuis plusieurs jours déjà.

— Mais tu as changé tes plans lorsque Demyan t'a mis au courant de notre *petit problème*.

— Notre enfant n'est pas un problème !

— Ce n'est pas ce que j'ai voulu dire.

— Tant mieux.

— Ce que tu es susceptible !

— Je vais être en retard, lança-t-il en se dirigeant vers la salle de bains, rendors-toi, il est encore tôt.

10.

— Quelle tête de mule ! marmonna Gillian lorsqu'il quitta la pièce.

La conversation s'était terminée de façon un peu abrupte. Maks avait émis le souhait qu'elle l'accompagne, puis, sans vraiment lui laisser l'occasion de dire quoi que ce soit, il avait tourné les talons.

Bon, d'accord, il n'avait pas quitté l'appartement, mais il avait mis fin à la discussion *en lui demandant de se rendormir.*

Un jour, nana lui avait dit que si elle voulait être heureuse dans une relation, elle devait établir certains principes dès le début. Que ce soit pour une courte aventure ou pour la vie entière. Elle s'apprêtait à se marier, cela méritait qu'on s'y attarde.

Elle repoussa donc les couvertures, heureuse de constater que ses nausées matinales lui avaient laissé un léger répit. Elle s'apprêtait à attraper une robe de chambre quand elle se ravisa, puisque l'eau coulait déjà dans la douche.

Il devrait lui faire une place.

Ce ne serait pas le summum du confort, mais ils avaient déjà pris des douches ensemble. Lorsqu'elle entra, la pièce était déjà remplie de vapeur.

— Tu vas devoir partager ton eau chaude, annonça-t-elle en faisant coulisser le rideau pour se glisser à côté de lui.

Maks pivota, surpris.

— Tu ne croyais tout de même pas que j'allais rester couchée juste parce que tu me l'as demandé ? lança Gillian.

— Mais tu as besoin de repos.

— Notre discussion n'était pas terminée.

— Je pensais que si.

— Vraiment ?

— Oui, répondit-il avec lassitude, ce qui tranchait avec le regard gourmand qu'il promenait sur son corps nu.

— Nous avons fait l'amour deux fois, cette nuit.

— Et alors ?

— Et alors, on dirait que tu t'apprêtes à recommencer…

— Ça pourrait être le cas mais, malheureusement, je manque de temps.

— Je ne me souvenais pas que tu étais à ce point insatiable !

— C'est vrai ?

En réalité, il n'avait jamais caché sa fascination pour son corps.

— Tu te comportes de façon plus… bestiale, comme si tu voulais marquer ton territoire.

Elle fut stupéfaite de le voir rougir légèrement.

— Est-ce que j'y suis allé trop fort ? demanda-t-il, soudain inquiet.

— Non, pas du tout, j'aime ton côté barbare.

— C'est noté.

Elle étala du gel douche sur le gant de toilette et entreprit de se savonner.

— Donc, tu veux que je vienne avec toi à Volyarus ?

— Ma mère voudra te rencontrer.

Il émit un bruit de gorge appréciateur lorsqu'elle passa le gant de toilette sur ses seins.

— Est-ce qu'elle sera contrariée ?

— Que tu ne viennes pas ?

— Que l'on ne soit pas encore mariés, précisa-t-elle, navrée par son manque de jugeote typiquement masculin.

— Elle a approuvé mon choix il y a dix semaines, déjà.

— Oh…

Gillian ne s'était pas rendu compte que leur histoire était allée aussi loin. Il avait parlé d'elle à sa mère !

— Mes résultats médicaux ont dû précipiter les choses, non ?

— Oui, mais tout ça sera bientôt derrière nous.

— Tu es vraiment un optimiste-né…

— Et tu en as bien besoin, à mon avis.

— Pour contrebalancer mon pessimisme, c'est ça ? demanda-t-elle d'un ton sarcastique.

— Oui.

— Je ne suis pas pessimiste.

— Alors tu es une excellente comédienne.

— On dit que l'espoir ne coûte rien, mais c'est faux. Les espoirs déçus vous blessent. Et lorsque l'on accumule les blessures, l'espoir se fraye plus difficilement un chemin jusqu'à votre cœur.

Les mouvements de son gant se firent moins réguliers. Maks lui prit le poignet, ôta le gant et l'accrocha au mur avant d'attirer Gillian contre lui.

— Je ferai de mon mieux pour satisfaire tes espoirs.

— Tu es très lyrique pour un Cosaque, railla-t-elle, la gorge serrée par l'émotion.

— Je ne suis pas un Cosaque.

— Mais tes ancêtres, oui. Parfois, l'héritage génétique saute une génération.

— Vraiment ? Ça n'augure rien de bon pour nos enfants alors ! plaisanta-t-il.

— Notre bébé héritera du meilleur de chacun de nous.

— Etait-ce une remarque optimiste ? s'exclama-t-il en feignant la stupéfaction.

Elle le frappa gentiment à la poitrine et il éclata de rire.

— Oui.

— Alors, pourras-tu m'accompagner à Volyarus ?

Il semblait détendu, mais elle savait qu'il attendait sa réponse avec anxiété.

— Je pense, oui. Je vais devoir déplacer certains rendez-vous, mais je pourrais te rejoindre lundi et rester pour la semaine — et peut-être un peu plus.

— C'est vrai, tu ferais ça ?

Il avait besoin d'entendre qu'elle avait conscience des obligations de sa future charge.

— Maks, je sais qu'en t'épousant j'hériterai d'un certain nombre de devoirs, en plus du titre.

— Princesse…

— Et ce sera un honneur !

— Aurais-tu accepté ma demande si je l'avais faite il y a dix semaines ?

— Si tu me l'avais demandé, j'aurais accepté, oui.

— Mais tu étais déterminée à la refuser il y a quatre jours ?

— Oui, et tu sais pourquoi.

Il fut sur le point de répondre qu'il l'ignorait, mais sa fierté masculine l'en empêcha.

Gillian ne put s'empêcher de pouffer, un rire déplacé en la circonstance, elle s'en rendait bien compte.

— Je sais que tu ne peux pas comprendre à quel point l'amour amène son lot de peurs.

— L'amour parfait peut triompher de tout, c'est ce que dit la sagesse populaire, non ?

— Je suis loin d'être parfaite et l'amour que je te porte ne l'est pas davantage.

— Permets-moi de ne pas être d'accord.

— Quoi ?

Elle ne comprenait plus rien…

Maks l'attira à lui et leurs corps nus s'accordèrent à la perfection sous l'eau chaude.

— Tu es parfaite à mes yeux.

— Tu dis ça parce que je porte ton enfant.

— En partie, oui, mais cette grossesse n'est qu'une preuve supplémentaire que nous sommes faits l'un pour l'autre. Tu n'aurais pu tomber enceinte de personne d'autre que moi en une seule nuit d'amour.

— On se vante ?

— Non, il ne s'agit pas de mes prouesses. Je te dis simplement ce que je pense, expliqua-t-il avec un sérieux désarmant.

En l'entendant parler ainsi, Gillian sentit ses propres émotions résonner au diapason de celles de Maks, mais débarrassées de la souffrance qui y était habituellement associée.

S'il ne s'agissait pas d'amour, c'était quand même quelque chose de fort. Gillian posa sa joue sur la poitrine de son homme, mais Maks lui releva le menton pour déposer un baiser sur ses lèvres.

Gillian sentit son cœur cogner dans sa poitrine à un rythme fou. A travers la vapeur d'eau, ils se regardèrent, et il se pencha vers son cou.

— Je croyais que tu n'avais… pas le temps, haleta-t-elle.

— J'ai déjà raté une réunion, murmura-t-il en glissant une main le long de ses fesses, puis entre ses cuisses…

Ses doigts vinrent effleurer son sexe humide.

— Mon pilote devra attendre encore un peu…

Gillian ne chercha pas à le convaincre davantage, stupéfaite et comblée qu'il accepte de transiger sur ses devoirs pour un peu d'intimité avec elle. Elle fut saisie d'un délicieux vertige, comme si elle vivait une expérience mystique… et sensuelle. Habitée par le besoin soudain de montrer à Maks combien son geste était important pour elle, elle se mit à genoux et approcha la bouche de son sexe sans chercher à masquer son intention. Ses cheveux humides vinrent caresser sa verge déjà dressée et il avança les hanches vers elle, comme malgré lui. Il ne se lasserait jamais d'elle, et Gillian en était ravie.

Ce que Maks éprouvait pour elle n'était pas de l'amour, mais cela méritait néanmoins qu'elle se batte pour le conserver. Il poussa un grognement de satisfaction lorsqu'elle fit glisser la langue sur son sexe.

— Qu'est-ce que tu fais ?

— Si tu ne comprends pas, c'est que je m'y prends vraiment mal.

— Mais tu ne fais jamais ça, d'habitude ?

Il ne le lui avait jamais demandé et elle ne l'avait jamais proposé, en effet.

— Ça ne veut pas dire que je n'en ai pas envie.

— Alors… pourquoi ?

— Parce que je… ne sais pas comment faire, avoua-t-elle.

— Tu ne l'as jamais fait avant ?

Maks semblait presque contrarié. Elle secoua négativement la tête. C'était la première fois, mais elle en avait très envie, autant pour lui que pour elle-même. Cela faisait longtemps qu'elle rêvait de s'essayer à cette pratique avec lui, mais elle n'avait jamais eu suffisamment confiance en elle-même pour proposer cela à un homme aussi expérimenté que lui.

Il ne s'agissait pas seulement d'essayer quelque chose de nouveau, mais de lui donner un plaisir qu'il n'avait jamais connu avec elle.

La veille encore, elle aurait douté de pouvoir y arriver, mais c'était avant que le mrince Maksim de Volyarus bouleverse son agenda pour assouvir la faim qu'il avait d'elle. Jamais auparavant il n'avait fait une telle entorse au protocole, pas une seule fois il n'avait repoussé une réunion ne fût-ce que de quelques minutes. Et voilà qu'il annulait carrément un vol et une réunion pour rester avec elle. Incroyable !

— Prends-moi dans ta bouche, s'il te plaît…

— Oui.

Elle s'exécuta. Lentement, elle approcha les lèvres

de son sexe et commença à le caresser du bout de la langue, ce qui lui arracha des grondements de plaisir.

— C'est si bon…, murmura-t-il en s'adossant à la paroi de la douche.

Elle le prit alors à deux mains et entama un mouvement de va-et-vient. Il poussa un petit cri et se cambra, s'enfonçant un peu plus dans sa bouche. Les mains en étau, Gillian le retint.

— Excuse-moi, se reprit-il en faisant un effort manifeste pour rester immobile.

Gillian sourit, satisfaite, puis accéléra le rythme, de plus en plus excitée par les caresses qu'elle lui prodiguait. Elle avait envie de le faire jouir… tout en voulant le sentir en elle. Mais elle ne pouvait pas s'arrêter pour le lui dire.

Quelle sensation grisante de l'avoir ainsi à sa merci tout en éprouvant le lien de complicité intime qui les unissait ! C'était comme un courant électrique circulant entre leurs deux corps.

Soudain, Maks se recula.

— Je ne vais pas pouvoir tenir plus longtemps, grimaça-t-il, les pupilles dilatées par le désir.

— Vas-y, j'en ai envie.

— Non, je ne crois pas…

Maks lui prit le visage entre les mains et l'incita à se relever.

— Je veux être en toi.

— D'a…, commença-t-elle, tellement émue qu'elle en perdait la parole. D'accord, parvint-elle à articuler après s'être éclairci la gorge.

Il l'embrassa avec sa passion coutumière et Gillian s'affirma dans ce baiser comme son égale ; elle était sienne, mais lui aussi lui appartenait.

Et puis, sans trop comprendre comment, elle se retrouva dos à lui, les mains appuyées contre la paroi. Elle écarta les jambes, autant que l'espace exigu le lui permettait, tremblant littéralement dans l'attente fiévreuse de leur étreinte. Le corps de Maks vint couvrir le sien et elle sentit son sexe contre ses fesses.

— Ouvre-toi pour moi, *sérdenko*, laisse-moi te prendre.

— Oui ! cria-t-elle en basculant la tête en arrière.

Elle aurait tout le temps du monde pour lui demander plus tard ce que signifiait ce mot.

Il entra en elle en un mouvement fluide, et elle sentit l'extase la transpercer de part en part. La main de Maks lui caressa le ventre, puis vint s'aventurer jusqu'à son clitoris… Alors, elle fit le vide dans son esprit pour ressentir le plaisir incroyable que lui procurait son amant.

L'eau cascadait sur leurs peaux tandis que Maks devenait omniprésent, en elle et contre elle. Gillian se hissa instinctivement sur la pointe des pieds, ses mains glissant sur la paroi humide de la douche, tandis qu'il allait et venait en elle sans répit…Jusqu'à ce que la jouissance envahisse tout son être en un spasme délicieux qui lui saisit les jambes, le sexe, la poitrine, hachant son souffle, tandis que leurs souffles se mêlaient en un cri primal et délicieux.

Secouée par les répliques du séisme qu'elle venait de vivre, Gillian perçut peu à peu les petits baisers que Maks déposait sur sa nuque.

Ils se séchèrent sans cesser de s'embrasser, après avoir épuisé la réserve d'eau chaude du ballon de son petit appartement.

— Qu'est-ce que ça veut dire, *sérdenko* ?

Maks la contempla un moment avant de se pencher vers elle pour l'embrasser.

— Cœur, ça veut dire « cœur ».

Gillian prit le temps de réfléchir avant de demander :

— Pourquoi m'avoir dit ça ?

— Parce que c'est toi le cœur de notre relation.

Ce n'était pas exactement les mots d'amour qu'elle avait espéré entendre, mais c'était déjà bien plus que ce dont elle avait dû se contenter ces dix dernières semaines. Elle baissa la tête pour que Maks ne remarque pas ses larmes de joie.

Mais elle savait que cela ne lui échapperait pas. Rien ne lui échappait.

Il lui prit la serviette des mains et l'attira contre lui.

— Nous serons bien ensemble, crois-moi.

— Je te crois.

Pour la première fois depuis une éternité, Gillian ne fit rien pour réprimer les étincelles d'espoir qu'elle sentait monter en elle, comme des petites bulles de champagne.

11.

Elle vit à peine passer les quatre jours qui suivirent, tant elle était noyée dans le travail afin de réorganiser son planning en urgence pour s'adapter au voyage imprévu vers Volyarus.

Maks l'appela par visioconférence deux fois par jour, une fois le matin et avant de se coucher le soir. Entre-temps, il lui envoyait des textos réguliers et lui faisait porter ses trois repas quotidiens, ainsi que des en-cas. Certains étaient livrés à son studio de photo, d'autres à son appartement.

Il prenait soin d'elle, et elle aimait cela.

Beaucoup.

Le jet privé que Maks avait fait affréter pour amener Gillian jusqu'à Volyarus disposait de tout le confort moderne.

Et il comportait déjà une passagère!

Gillian n'avait rencontré la femme installée dans un des fauteuils de cabine qu'à quelques rares occasions, mais elle aurait reconnu la reine Oxana entre mille, même sans l'avoir croisée auparavant. Elle représentait certes une minuscule monarchie, mais son visage avait fait la couverture de suffisamment de magazines pour ne pas être anonyme.

— Bonsoir, mademoiselle Harris.

A cet instant, Gillian fut reconnaissante à son père de l'avoir traînée dans toutes ces soirées mondaines, où elle avait pu apprendre — de force — les codes de l'étiquette.

— Votre Majesté, répondit-elle en exécutant une révérence parfaite.

La souveraine se leva de son siège avec une grâce naturelle.

— Vous pouvez m'appeler Oxana, car nous serons bientôt mère et fille par les liens du mariage, m'a-t-on dit.

Gillian ne parvenait pas à déterminer les véritables sentiments de la reine, derrière ses sourires de façade et ses manières distinguées.

Elle ne pouvait pas imaginer que ce tête-à-tête imprévu soit l'idée de Maks. Ce qui signifiait que c'était la reine elle-même qui en avait pris l'initiative…

— Oui, parvint à répondre Gillian.

— Vous êtes enceinte de mon fils.

— Il vous l'a dit ?

Gillian sentit la panique la gagner.

— Bien sûr qu'il vous l'a dit…

— En réalité, il ne l'a pas fait.

— Demyan s'en est chargé ?

— Oui.

— Mais… pourquoi ?

— Apparemment, Demyan a jugé bon de m'informer des raisons pour lesquelles le mariage devait être célébré au plus vite — ce qui n'est pas le cas de mon fils.

La reine l'invita à s'asseoir en lui désignant un fauteuil beige d'un geste de la main. Le décollage était imminent, aussi Gillian attacha-t-elle sa ceinture.

— Oui, j'entends bien, mais ce que je ne comprends pas, c'est la raison pour laquelle Maks ne vous a rien dit.

Oxana leva ses cils parfaits et son regard se posa sur Gillian.

— Il veut éviter que je ne vous prenne pour une croqueuse de diamants.

— Il me protège.

Cela lui ressemblait, mais elle aurait préféré qu'il ait une discussion avec sa mère à ce sujet.

— Vous auriez fini par le savoir, de toute façon, ajouta Gillian.

La reine Oxana acquiesça en retournant s'asseoir dans son siège ; elle ne prit pas la peine de boucler sa ceinture.

— En effet. Et s'il avait fait preuve de son habituel discernement, il s'en serait rendu compte.

— Il ne m'a pas semblé moins vif d'esprit que d'habitude.

— Vraiment ?

— Non.

Gillian fut saisie par une bouffée de chaleur, accompagnée d'une légère nausée. En un instant, Oxana était près d'elle et posait une main sur son front.

— Vous êtes en nage. Avez-vous la nausée ?

Gillian ne fut capable que de hocher la tête.

Oxana lui fit apporter de l'eau minérale et des biscuits, avant de boucler sa ceinture à son tour.

Pendant que l'avion se positionnait pour le décollage, Gillian avala quelques gorgées d'eau et picora un biscuit, tout en se demandant pourquoi son cœur s'était emballé de cette façon. C'était sans doute la présence d'Oxana. Gillian réagissait un peu de cette façon face à sa propre mère, alors, face à une reine…

La souveraine glissa un mot à l'oreille du steward, qui se dirigea vers l'arrière de la cabine. Puis elle examina Gillian d'un regard neutre qui ressemblait énormément à celui de son fils… Elle conservait une expression égale, mais Gillian savait que, derrière ce masque, des émotions contradictoires s'affrontaient.

— Vous vous sentez mieux ?

— Oui. Comment avez-vous su que je n'allais pas bien ?

— Vous avez un visage très expressif, expliqua la reine.

Son envie de vomir était donc si évidente ? Charmant !

— Je vois…

— Vous allez devoir y travailler.

Si elle voulait jouer dans la cour des grands, ce serait un passage obligé, en effet. Pour l'heure, elle allait prendre son mal en patience, siroter son eau minérale et grignoter ses biscuits en compagnie de sa future belle-mère.

Maks allait l'entendre ! Lui qui avait un esprit machiavélique aurait dû prévoir que sa mère jouerait ce genre de jeu et il aurait dû l'éviter.

— Est-ce que ma présence vous a surprise ?

— On peut dire ça, en effet.

— Maksim est né avec des responsabilités telles que peu de gens peuvent même en concevoir l'ampleur.

Gillian se contenta d'acquiescer, sans trop savoir où cette conversation allait les mener.

— Il s'est toujours soumis à ses devoirs sans se plaindre.

— Je le sais, il possède un grand sens des responsabilités.

Gillian aurait aimé lire le scénario et les dialogues de la scène qu'elle était en train de jouer *avant* de monter dans cet avion.

— D'aucuns pourraient même dire que chez lui, ce trait de caractère est surdéveloppé.

— Mais vous n'êtes pas de ceux-là.

— J'ai perdu l'idéalisme qui m'habitait aux premiers jours de mon règne. J'ai vieilli et j'en suis venue à penser que le bonheur de mon fils importait sans doute autant, sinon plus, que ses devoirs envers le trône.

Gillian, étonnée, ne put réprimer un petit mouvement de recul qui fit sourire Oxana.

— Oui, je sais, Maks et son père trouveraient sans doute que mes propos frôlent l'hérésie.

— Mais…

Gillian se retint in extremis d'émettre le moindre jugement sur les postures morales de la reine.

Oxana était une figure publique, mais elle conservait sa part de mystère.

— J'aimerais vous poser une question, et je souhaiterais que vous y répondiez avec autant d'honnêteté que possible — même si je doute que vous soyez capable de duplicité avec un visage aussi expressif.

La reine semblait trouver ce trait de personnalité plus attachant que gênant.

— Très bien.

Gillian avala une nouvelle gorgée d'eau ; sa nausée ne s'était pas vraiment améliorée. La reine acquiesça, comme si elle s'était attendue à sa réponse.

— Etes-vous tombée enceinte afin de pousser mon fils à vous épouser ?

Gillian faillit s'étrangler avec son eau. Oxana fit venir le steward, qui apporta aussitôt une serviette, puis disparut tout aussi vite.

— Ma question vous choque et vous contrarie, manifestement.

Gillian prit le temps de reprendre son souffle.

— Vous croyez ?

— Le sarcasme est une arme à double tranchant. Dans les relations diplomatiques, c'est un outil à manier avec prudence.

— Ainsi que les questions gênantes.

— Touché !

— Je ne suis pas « une croqueuse de diamants », je vous le répète.

— Parfois le pouvoir peut être encore plus attirant que l'argent.

— Je me moque du pouvoir, je veux partager la vie de Maks, c'est tout, affirma Gillian avec sincérité.

Les pupilles d'Oxana se dilatèrent de façon infime, témoignant de sa surprise.

— Demyan prétend que vous n'avez pas informé Maksim de votre grossesse.

— Demyan devrait trouver un autre loisir que de m'espionner constamment.

Oxana réprima un sourire.

— Il ne vous a pas espionnée en personne.

Gillian ne répondit rien, elle n'avait pas envie de se lancer dans une joute verbale avec la reine ; elle n'était pas sur son terrain, la lutte serait trop inégale. Elle connaissait suffisamment bien les riches et les puissants pour mesurer la force de ce silence.

La reine acquiesça, comme si Gillian venait de confirmer son opinion.

— Dites-moi pourquoi vous n'aviez rien dit à Maksim à ce sujet.

— J'ai estimé qu'il valait mieux attendre.

— Pourquoi ? Vous espériez que plus le temps passerait, plus Maksim serait enclin à donner à cet enfant la place qui lui revient au sein de la maison Yurkovitch ?

— Non.

Pour quel genre d'intrigante Oxana la prenait-elle ?

Gillian se sentit perdre confiance en elle. Les doutes émis par la reine et ses réticences la ramenaient à des questionnements douloureux, à ce mariage conclu non par amour, mais par intérêt. Elle agissait pourtant pour le bien de l'enfant… Leur couple durerait-il sans un amour réciproque ? Ils partageaient une relation unique, mais combien de temps cela tiendrait-il si la reine mère œuvrait à saper leur union ?

— Il y a onze semaines, parvint-elle à articuler, votre

fils m'a quittée car des examens médicaux ont révélé que mes trompes ne fonctionnaient pas normalement.

Oxana demeura impassible.

— Je vous répète que Maksim ne m'a rien dit de tout cela.

— Mais vous le saviez malgré tout.

— Peut-être, répondit Oxana avec un demi-sourire.

Face au silence de Gillian, la reine enchaîna :

— J'ai besoin de comprendre pourquoi vous avez hésité à révéler votre état à mon fils.

— Ce n'est pas un *état*, c'est une grossesse-surprise.

— Pardonnez-moi, je ne voulais pas vous blesser. Vraiment ?

— Vous vous entendriez à merveille avec ma mère, soupira Gillian en secouant la tête.

— Je pense que vous vous trompez, rétorqua Oxana, le visage soudain assombri.

A l'évidence, la reine de Volyarus n'avait aucune sympathie pour sa mère.

— Si vous le dites !

— Je vous assure que ce n'était pas intentionnel.

— J'ai du mal à vous croire, car vous êtes aussi fine diplomate que votre fils.

— Peut-être mon fils n'est-il pas le seul à être troublé par les événements récents.

Au moins, Gillian était fixée sur la place que son bébé et elle tenaient dans l'estime de la reine !

— Je n'ai rien dit à Maks au sujet du bébé, car mes trompes restent fragiles. Si je perds l'enfant, nous revenons à la case départ et je serai de nouveau *persona non grata* à Volyarus.

— Et j'imagine que Maksim, avec son optimisme coutumier, a décidé d'ignorer cet aspect ?

— Oui.

— Pourquoi craigniez-vous de perdre cet enfant ?

— Le pourcentage de fausses couches est plus élevé

que l'on ne croit. Et le stress ne fait qu'accroître les probabilités.

— Et vous avez eu peur que la rupture avec mon fils ne provoque cette fausse couche ?

Gillian n'avait jamais osé s'en ouvrir à Maks, mais Oxana avait vu juste.

— Vous vous êtes sentie amoindrie, rabaissée, et vous avez eu peur que cela augmente vos chances de perdre cet enfant miraculeux.

Comment la reine était-elle parvenue à la percer à jour aussi aisément ?

— Oui, concéda-t-elle.

— Maksim ignore tout de cela, n'est-ce pas ?

— Bien sûr. Il ignore même le sens du mot *amoindri*. Nana dirait que vous l'avez très bien élevé.

— Votre grand-mère est un sacré personnage.

— Oh ça, oui !

Elle allait animer la cour de Volyarus le jour où elle y ferait son apparition !

— En ce qui me concerne, je vois parfaitement ce que vous avez pu traverser, expliqua la reine avec une grande tristesse dans la voix, car j'ai perdu trois bébés après la naissance de Maksim.

— Je... je suis désolée.

— Je vous remercie. Certaines douleurs sont si profondes qu'elles ne disparaissent jamais complètement.

Le couple royal ne s'étant marié que dans le but de fournir un héritier à la Couronne, cela rendait sa tragédie personnelle plus poignante encore.

— J'aurais aimé vivre dans une demeure pleine de rires d'enfants, soupira-t-elle en portant le regard vers les nuages noirs par-delà le hublot.

Gillian resta sans voix face aux confidences intimes de la froide souveraine. Oxana se tourna doucement vers sa future belle-fille.

— Je vous parle de choses que vous peinez à imaginer, n'est-ce pas ?

Gillian fut pour lui mentir, mais elle opta pour la franchise, par respect pour son interlocutrice.

— Pour être tout à fait honnête : oui.

— Les fausses couches, mon mariage qui n'existe plus guère que par un acte administratif, tout cela m'a changée, mais mon désir d'enfant est demeuré intact. C'est pourquoi je suis heureuse d'avoir Demyan avec nous.

— Maks vous considère comme une mère modèle.

Et Demyan devait penser à peu près la même chose ; n'avait-il pas hérité de nombre de ses traits de caractère — et de sa manie d'espionner les gens ?

— Cela me fait chaud au cœur, mais je crains de lui avoir fait plus de tort que de bien en l'éduquant comme je l'ai fait. Seul le devoir compte à ses yeux et il n'a que mépris pour l'amour.

— Vous savez donc qu'il ne m'épouse pas par amour, mais pour obéir à ce fameux sens du devoir, n'est-ce pas ?

Trahie par ses hormones, Gillian sentit des larmes rouler sur ses joues. Comment s'étonner que la reine regrette de l'avoir élevée de cette façon, puisque c'était cette ligne de conduite qui était responsable de la situation présente ? Gillian aurait souhaité que tout soit différent, mais la réalité était tenace…

— Vous pensez donc que mon fils ne vous aurait pas épousée s'il n'y avait pas eu cet enfant pour vous réunir ?

— C'est une certitude.

N'avait-elle donc pas écouté ce qu'elle venait de lui dire ? Il avait tout de même rompu avec elle onze semaines auparavant !

— Pour un homme entièrement dévoué à sa tâche, je l'ai pourtant trouvé très attentif à votre santé depuis qu'il est revenu à Volyarus.

— C'est quelqu'un de responsable, et je fais désormais partie de ses priorités.

Et j'ai été stupide de rêver que je pourrais représenter davantage à ses yeux.

— Rassurez-moi, vous n'êtes pas en train de vous convaincre que mon fils ne se soucie pas de vous ?

Je n'ai pas à m'en convaincre, je le sais, voulut répondre Gillian, mais c'était faux : elle était la mère de son futur enfant et elle comptait évidemment beaucoup à ses yeux !

— Votre fils ne m'aime pas, il s'est montré très clair à ce sujet.

— Vraiment ?

La reine sembla presque contrite.

— Vous a-t-il expliqué pourquoi ? poursuivit-elle.

— L'amour ne s'explique pas…, répondit Gillian d'une voix pleine de larmes, en essayant vainement de maîtriser ses émotions.

— Il a peur d'aimer. C'est ma faute, je l'ai élevé comme ça.

Sa mère avait sans doute eu une influence sur lui, mais le problème n'était pas ce qu'il pensait de l'amour, mais le fait qu'il ne parvenait pas à le ressentir.

— Il ne croit pas au concept même d'*amour*. S'il m'aimait, je doute que son esprit soit capable de faire taire son cœur.

— Vous sous-estimez sa force de conviction.

Gillian haussa les épaules, elle n'avait pas l'énergie de disserter sur ce sujet avec la reine. Qu'elle en vienne au fait, et qu'on en finisse ! songea-t-elle.

— Etes-vous en train d'essayer de me piéger, Votre Altesse ?

— J'insiste pour que vous m'appeliez Oxana, vous serez bientôt de la famille. Et pour répondre à votre question : non, ce n'est pas mon intention.

Pour la première fois, la reine laissa transparaître ses émotions.

— Vous êtes pourtant convaincue que j'essaie de piéger votre fils ?

— Non.

— Mais vous m'avez demandé…

Et puis quelle importance ? Oxana n'avait fait qu'exprimer clairement la situation. Maks avait proposé ce mariage, guidé par son sens du devoir et par la grossesse imprévue de Gillian.

Point final.

Ils se retrouvaient tous les deux piégés et Gillian sentit le nœud coulant de la culpabilité se refermer sur sa gorge, car une partie d'elle-même se réjouissait de la tournure que prenaient les événements. Cela était sans doute égoïste, même si elle n'avait pas intentionnellement provoqué cette situation.

— Je veux que vous épousiez mon fils, énonça Oxana d'une voix claire.

— J'ai du mal à vous croire.

— Encore une fois, je vous présente mes excuses. Je n'ai pas de telles difficultés à exprimer mes souhaits, d'ordinaire.

Gillian en était persuadée.

— L'idée que vous ayez pu forcer la main de Maksim me révulsait, expliqua la reine.

— Comme vous l'avez fait avec son père ?

Oxana ne prit pas cette remarque comme une attaque et se contenta de hocher la tête.

— Tout a toujours été clair avec Fedir. Il voulait que je porte son enfant, et moi je le voulais, lui.

— Maks est persuadé que vous convoitiez uniquement le trône.

— Il est comme tous les enfants, il a une vision biaisée de ses parents.

— Oui, j'imagine que vous avez raison.

— Fedir n'a jamais cessé d'aimer cette femme, même après la naissance de Maksim.

— Ça n'a pas marché pour Léa non plus.

Oxana sembla perplexe, puis son visage s'illumina.

— Ah oui, vous faites référence à l'Ancien Testament ! Je devrais être heureuse que Bhodana n'ait jamais eu d'enfant, mais ce n'est pas le cas. Fedir aurait aimé avoir une famille nombreuse.

— Je croyais que la comtesse était stérile ?

— Ils n'ont jamais fait aucun examen. C'est son statut de femme divorcée qui l'a toujours empêchée d'épouser Fedir, mais lui n'a jamais voulu mettre fin à notre union, même quand je le lui ai proposé.

— Maks et son père partagent ce même sens du devoir envers Volyarus.

— Oui, il est très prononcé chez l'un comme chez l'autre.

— Et même chez vous. Vous êtes restée près de Fedir, après tout.

— Bien sûr que je suis restée, mon fils est destiné à devenir roi un jour. Il aura besoin de moi pour le guider, et puis il y a Demyan. Ses parents l'ont abandonné pour poursuivre leurs ambitions, lui aussi a besoin de moi.

— A vous entendre, les enfants passent avant tout le reste.

— C'est dans l'ordre des choses.

— Je partage cette opinion.

— Est-ce pour cette raison que vous épousez Maksim ?

— Oui.

— L'aimez-vous ?

— De toute mon âme.

— Et c'est ce qui rend la chose si pénible, n'est-ce pas ? C'est de là que vient ce chagrin au fond de votre joli regard bleu ?

— Il ne m'aimera jamais, ce n'est pas une émotion que l'on peut faire naître du néant.

Le poids de cette certitude pesa un peu plus sur son cœur maintenant qu'elle l'avait exprimée à voix haute.

— Vous allez avoir un enfant ensemble. Vous avez des intérêts communs, vous avez partagé beaucoup de choses… Ce n'est pas rien.

— C'était aussi votre cas avec le roi Fedir, pourtant il n'a jamais appris à vous aimer.

— Il en aimait déjà une autre.

— Cela ne fait aucune différence.

— En êtes-vous si sûre ? C'est son nom à elle qu'il prononçait, la nuit où nous avons conçu Maksim…

Gillian ne sut comment répondre à cette confidence intime.

— Alors, là, si Maks s'était avisé de faire ça, je ne suis pas certaine qu'il aurait quitté le lit vivant !

Elle fut surprise d'entendre Oxana pouffer.

— Et il l'aurait mérité. J'aurais peut-être dû expédier un bon coup de genou dans une certaine partie de l'anatomie du roi, pour lui mettre du plomb dans la cervelle !

— Peut-être.

— En tout cas, je pense que vous faites erreur.

— A quel propos ?

— Au sujet des sentiments que Maksim éprouve pour vous.

Gillian aurait tant aimé qu'elle dise vrai…

— Non, je ne pense pas.

Tout ce que Gillian vit d'abord de Volyarus, ce furent des points brillants dans la nuit tandis qu'ils survolaient la mer Baltique. En faisant quelques recherches, elle avait appris que la majorité des habitants vivaient sur l'île principale, qui faisait à peu près la taille de la Nouvelle-Zélande. C'était un archipel dont les îlots les moins peuplés possédaient un sous-sol riche et facilement exploitable. Le sommet de l'île principale était couvert de neiges éternelles, et à ses pieds s'étendait la capitale, ceinturée par les exploitations agricoles. Le printemps y était court, mais l'ensoleillement compensait largement ce déficit.

Lorsqu'elle descendit du jet, Gillian ne vit rien de tout cela. Le soir tombait tôt en été et la nuit était profonde une fois le soleil couché, comme c'était le cas dans son Alaska natal. La piste d'atterrissage était illuminée, ainsi que ses alentours immédiats, mais le reste était plongé dans l'obscurité.

Trois voitures les attendaient sur le tarmac : deux 4x4, flanqués de gardes du corps peu amènes en costumes noirs, et une limousine officielle portant les petits drapeaux de Volyarus sur ses flancs. Son conducteur vint leur ouvrir la porte. Une Mercedes argentée fit alors irruption sur la piste en faisant crisser ses pneus, au moment où Gillian posait le pied au sol dans le sillage de la reine.

— Oh, mon Dieu ! s'exclama cette dernière, on dirait que Maksim a éventé mon projet de vous accompagner durant ce voyage.

Gillian n'eut pas le temps de répondre que déjà Maks surgissait de son coupé sport. Ignorant le salut de sa mère, il prit Gillian dans ses bras et l'embrassa avec fougue sous le regard attendri d'Oxana.

Gillian céda et se laissa aller à cette étreinte, en songeant qu'il connaissait mieux qu'elle le protocole. Elle lui rendit son baiser, profitant de ce moment entre les bras de l'homme qu'elle aimait, et ses soucis s'évaporèrent dans l'instant.

Maks consentit enfin à reculer légèrement pour la contempler, sans cesser de la toucher.

— Comment s'est passé ton vol ? demanda-t-il avec une intensité inhabituelle dans le regard.

— Très bien.

— Je ne m'attendais pas à ce que tu aies de la compagnie, lui fit-il remarquer.

— Moi non plus.

— Est-ce que ça va, est-ce qu'elle t'a… ? Elle n'a pas essayé de te convaincre de renoncer à ce mariage ? s'enquit-il en lançant à sa mère un regard tout sauf diplomatique.

Gillian devina à son expression que, si elle s'était avisée de le faire, cela aurait creusé un fossé gigantesque entre lui et sa mère.

— Je n'ai rien fait d'autre qu'apprendre à connaître ta future épouse, Maksim.

Elles avaient effectivement papoté comme deux amies, avant qu'Oxana n'insiste pour que Gillian fasse une petite sieste. Puis elle l'avait réveillée juste avant l'atterrissage, pour lui laisser le temps de se brosser les dents et de se recoiffer.

— Si elle a dit quoi que ce soit de déplacé…

Encore ce regard noir.

— Elle ne veut que ton bonheur, Maks, répondit aussitôt Gillian, mal à l'aise envers Oxana.

— Je suis heureux de t'épouser, Gillian.

— Et tu seras heureux d'être père, j'en suis sûre, renchérit la reine.

Maks se raidit. Manifestement, il n'avait pas prévu que sa mère serait au courant si vite. Quelle naïveté ! Il était pourtant évident que Demyan ne garderait pas une telle information pour lui. Oxana avait raison, Maks avait perdu un peu de son esprit acéré.

— Tout va bien, elle est ravie de l'arrivée de ce bébé, c'est tout, tempéra Gillian.

Une nouvelle fois, Maks la dévisagea pour tenter de déceler un éventuel mensonge, avant de se tourner vers sa mère.

— Comment peux-tu en douter ? s'offusqua la souveraine.

Maks ne répondit rien et, de nouveau, regarda Gillian.

— Elle ne t'a pas contrariée ?

— J'ai été surprise de la voir à bord, esquiva Gillian.

Un nuage d'inquiétude passa dans le regard du prince.

— Mais tu n'es pas contrariée ? insista-t-il.

Par chance, il avait conjugué sa question au présent.
Cela éviterait à Gillian de lui mentir.

— Non.

— Parfait.

— Maksim, je t'en prie, reprit Oxana, sincèrement
outrée, Gillian va croire que je suis un monstre sans
cœur !

Maks poussa un soupir qui exprimait la culpabilité
du fils fautif.

— Bien sûr que non, répliqua-t-il en conservant une
posture sinon hostile, du moins méfiante.

Etrangement, Oxana éclata de rire.

— Oh, Maksim, j'ai craint un instant d'avoir détruit
ta capacité à aimer.

Maks se raidit soudain.

— L'amour est…

— … un don précieux lorsqu'il est pratiqué dans
le désintéressement le plus absolu, le coupa Oxana au
mépris des plus élémentaires règles de politesse.

Maks ouvrit la bouche, mais sa mère le prit de vitesse.

— Je crains que ton père et moi ne t'ayons donné
une vision bien égoïste de l'amour. Peut-être que si tu
avais passé un peu de temps avec la comtesse, tu aurais
pu être témoin de ce sentiment désintéressé.

— Comment peux-tu dire cela d'une femme qu…

Une nouvelle fois, Oxana l'interrompit d'un geste
de la main.

— Ce n'est pas juste une femme, Maksim. Elle
est *la* femme. Celle qui a offert à ton père un amour
inconditionnel.

— Mère…

— Viens, le lieu est mal choisi pour évoquer nos
blessures familiales.

Gillian songea que Maks et sa mère auraient sans

doute dû aborder ces sujets bien des années auparavant. Pourquoi maintenant ? C'était décidément une nuit très étrange.

— Notre famille n'est pas blessée, s'entêta Maks.

Sa mère se contenta d'afficher un sourire énigmatique en se dirigeant vers la limousine.

— Viens, Maksim, Ivan ramènera ta voiture au palais.

— Je voulais…

— Gillian est trop fatiguée pour une visite nocturne de la ville. Venez, Gillian, et prenez mon fils avec vous.

Oxana s'était adressée à elle avec cette autorité naturelle contre laquelle personne n'osait se rebeller. Même Maks se plia docilement à la volonté de sa mère pour éviter l'esclandre.

Ils furent bientôt tous à l'intérieur de la limousine, laissant à Ivan le soin de ramener la Mercedes. La voiture était spacieuse, mais Maks était si près de Gillian qu'ils occupaient presque une seule place à eux deux.

Elle ne risquait pas de s'en plaindre ! Cette proximité compensait les sensations désagréables qu'elle avait pu avoir dans l'avion. Elle posa la tête sur le torse de son homme, comme elle n'aurait jamais imaginé pouvoir le faire en présence de la reine mère.

— Maksim, je suis très contrariée, lança Oxana dès que la voiture fut en mouvement.

— Je suis désolé de l'entendre, mère, mais ma décision est prise : je vais épouser Gillian.

— Evidemment ! Elle est la mère de ton enfant !

— Elle est *sérce moje*, affirma-t-il avec force.

— Je suis heureuse qu'elle soit ton cœur, Maksim, mais cela me navre qu'elle ignore la place qu'elle y tient. Sa réaction face à moi dans l'avion était sans équivoque.

— Mère…

Gillian ignorait ce qu'Oxana essayait de prouver, mais, une fois encore, c'est elle qui allait souffrir de toutes ces manœuvres. La reine croisa les bras avec détermination — un geste peu royal.

— Bien. Gillian, vous m'avez dit que vous aimiez mon fils, n'est-ce pas ?

— Oui…

Elle était à fleur de peau depuis des jours. Pouvait-elle souffrir encore davantage ? Manifestement, oui. Oxana acquiesça : elle avait eu la réponse qu'elle attendait.

— Vous l'aimez suffisamment ?

— Oui, répondit Gillian sans chercher à comprendre à quel jeu jouait la reine.

Oui, elle aimait assez Maksim pour lui avoir caché sa grossesse afin de le laisser libre de ses choix. Elle l'aimait assez pour faire passer le bonheur de cet homme avant le sien. C'était là le grand pouvoir de l'amour, mais Maks était incapable de le comprendre ou de le ressentir, hélas !

— Suffisamment pour lui rendre sa liberté quelques mois après la venue au monde de votre enfant ?

— Oui, répondit Gillian sans la moindre hésitation.

— Non ! dit Maks au même instant.

Il avait presque crié. Il y avait dans sa voix un désespoir que Gillian ne comprenait pas. Si elle ne le connaissait pas mieux, elle en aurait déduit qu'il doutait des sentiments qu'elle éprouvait à son égard.

Maks se tourna vers elle, son visage déformé par une souffrance qu'elle n'y avait jamais lue auparavant.

— Tu ne me quitteras pas.

— Gillian pense que tu seras mieux sans elle, puisque tu ne l'aimes pas, affirma Oxana avec un mélange de certitude et de compassion.

— Non, chuchota Maks.

— Oui, répondit Gillian, la gorge serrée par la force de cet amour réprimé qui vivait en elle, tu mérites de trouver l'amour, Maks. Tu mérites de connaître ce bonheur immense d'avoir quelqu'un dans ta vie, quelqu'un dont le bien-être passe avant le tien.

— Non ! Tu ne me quitteras pas.

Il fusilla sa mère du regard.

— Si elle me quitte, gronda-t-il entre ses dents, je ne te le pardonnerai jamais !

Oxana accusa le coup, mais soutint le regard de son fils.

— Pourquoi, Maksim ? Pourquoi me tournerais-tu ainsi le dos ?

— Parce que Gillian est mienne.

— Et que tu lui appartiens, toi aussi ? demanda sa mère avec une douleur rentrée.

Gillian comprenait Oxana. Fedir ne lui avait jamais appartenu, alors même qu'elle lui avait offert son cœur et son âme. Il l'avait négligée…

— Oui, je lui appartiens, affirma-t-il avec force en serrant Gillian contre lui.

Elle émit une petite plainte aiguë, mais se laissa faire.

— Ça va aller ?

Elle acquiesça, soudain muette. Cette discussion incroyable allait peut-être mener Maks à avouer des choses qu'elle avait toujours été incapable de lui faire dire.

La voiture s'arrêta et Oxana fixa son fils avec dureté.

— Tu vas prononcer devant cette femme les mots qu'elle attend. Tu le lui dois, car elle est prête à se déchirer le cœur à mains nues pour ton seul bonheur.

Sur ce, Oxana quitta la voiture pour terminer le trajet à pied, sans un seul regard en arrière. Maks, tendu comme un arc, lui emboîta le pas, entraînant Gillian à sa suite.

Elle n'avait pas le choix : il la tenait comme s'il ne voulait plus jamais la lâcher.

Gillian remarqua à peine l'austère beauté architecturale du palais et sa décoration opulente. Toute son attention était mobilisée par l'homme qui la guidait à travers un long corridor, après lui avoir fait gravir deux volées de marches de marbre.

Ils s'arrêtèrent dans une pièce vaste qui ne pouvait être que la chambre princière.

— Veux-tu prendre un bain avant d'aller te coucher ?

— Je n'ai pas ma propre chambre ?

Maks chassa sa remarque d'un haussement d'épaules.

— Je croyais que l'idée était de faire profil bas pour les médias ? insista Gillian. Est-ce que personne ne va remarquer que je dors dans ta chambre ? C'est sûrement une entorse à l'étiquette, non ?

— Je suis le prince, personne ne me posera la moindre question.

— Les médias ne posent pas de questions, ils relatent les faits.

— Eh bien, laissons-les *relater*.

— Maks ! Tu n'es pas toi-même, en ce moment...

Le prince posa sur Gillian un regard empreint d'émotions puissantes et inédites.

— J'ai cru que ma mère cherchait à te convaincre de me quitter.

— Pourquoi ferait-elle une chose pareille, alors que tu m'as dit toi-même qu'elle approuvait notre mariage ?

Il devenait paranoïaque, uniquement guidé par ses émotions, lui qui se faisait fort de les maîtriser...

S'était-il aveuglé tout ce temps, menti à lui-même ?

— Elle est venue te voir sans m'en parler. Ce genre de ruse mène rarement à des épilogues heureux.

— Elle n'a rien fait de mal, Maks.

— Elle t'a suggéré de partir, contra-t-il avec un léger vibrato dans la voix, qui fit trembler le cœur de Gillian.

— Une fois l'enfant né, précisa Gillian, lorsqu'il ou elle aura sa place légitime au sein du royaume.

— Alors tu crois que c'est tout ce qui compte à mes yeux ? Est-ce tout ce qui importe pour toi ?

— Tu sais bien que ce n'est pas le cas.

— Alors pourquoi me quitterais-tu ?

— Pour que tu puisses trouver l'amour.

— J'ai *déjà* trouvé l'amour ! s'écria-t-il, chaque muscle de son corps tendu dans cet aveu sincère.

— Mais tu as rompu avec moi…

— Et j'ai eu tort.

— Tu as besoin d'une descendance.

— J'ai besoin de toi.

— C'est vrai ? demanda-t-elle en sentant son cœur s'ouvrir comme une rose au soleil.

Maks inspira longuement avant de lui ouvrir son âme.

— *Koxana moja*, je ne vis que pour toi. Ton image hante mon esprit. Pendant les réunions, j'oublie l'ordre du jour et je t'envoie des textos, alors que je suis en pleine discussion avec des capitaines d'industrie. Ils sont tous persuadés que je suis en train de m'entretenir avec quelqu'un de plus haut placé qu'eux ; et c'est le cas, mais pas dans le sens où ils l'entendent…

A l'écouter, Gillian s'avisa que Maks ne comprenait pas lui-même ce qui lui arrivait.

— Je ne supporte pas l'idée de te perdre… Comment appelle-t-on ça ?

— *L'amour*, on appelle ça « l'amour ».

Etait-elle en plein rêve ?

Maks écarquilla les yeux de façon presque comique ; le pauvre était totalement perdu.

— *Koxana moja*. Je viens de t'appeler « mon amour » sans m'en rendre compte.

— Vraiment ?

— Oui, je t'enseignerai ces mots pour que tu puisses les répéter à nos enfants.

— D'accord.

Maks tomba à genoux devant elle.

— Je t'aime plus que mes devoirs sacrés, même si j'ai essayé d'étouffer ces sentiments. Il n'y a pas de mots pour qualifier ma lâcheté et le chagrin que j'éprouve aujourd'hui.

— Tu n'es pas un lâche.

Juste un homme élevé dans la certitude que l'amour n'était pas fait pour lui.

— Tu ne t'es jamais autorisé à être heureux, expliqua Gillian.

Et elle-même ne valait pas mieux ; elle n'avait pas cru en lui, pas suffisamment. Oxana était la seule à avoir vu par-delà les apparences. Les mères sentent ces choses-là…

— Non, non, ne secoue pas la tête, je t'aime vraiment, même si j'ai été incapable de te le dire.

— Je secouais la tête en songeant à l'intuition incroyable de ta mère.

— Ma mère…

Il y avait une telle colère dans sa voix !

— Elle n'a jamais voulu nous séparer, elle a tout fait pour que tu prennes conscience de l'amour que tu avais pour moi.

— Tu crois ?

— Si tu avais les idées claires, tu le verrais, toi aussi.

— J'ai *toujours* les idées claires.

— Sauf le jour où tu avoues pour la première fois de ton existence que tu es amoureux, non ?

Il ouvrit la bouche pour répondre, mais resta finalement muet.

— Je t'aime de tout mon cœur, lui souffla Gillian avec un sourire.

— Assez pour te sacrifier et partir afin que je trouve le bonheur ?

— Oui.

Maks se pencha pour lui embrasser le ventre.

— Nos enfants ne connaîtront que la joie d'être aimés.

— Et le pouvoir du dialogue, ajouta Gillian.

— Et est-ce que tu dirais que nous avons mérité un câlin de réconciliation ? hasarda Maks en souriant.

— On s'est disputés ?

— Oh que oui ! Tu as même menacé de me quitter, affirma-t-il en commençant déjà à la déshabiller.

— Plus jamais.

— Plus jamais.

Ils firent l'amour comme pour la première fois, corps et âme au diapason de leurs sentiments réciproques. Plus tard, lovés l'un contre l'autre dans le vaste lit, Maks murmura à son oreille :

— Dis-le encore…

— Je t'aime et je ne te quitterai jamais.

— Je t'aime, *serce moje*.

« Mon cœur. » Elle serait dans son cœur pour le reste de leur vie, elle en avait désormais la certitude.

Epilogue

Le mariage célébré à bord du luxueux navire fut à la fois somptueux et intime.

Maks avait fait en sorte que les grands-parents de Gillian soient présents, ainsi que le roi et la reine de Volyarus. Son cousin Demyan fut son témoin, et nana — son beau regard embué de larmes — joua pour Gillian le rôle de demoiselle d'honneur.

Il y eut ensuite une réception officielle, et lorsque Gillian donna naissance à leur enfant, six mois seulement après leur union, il n'y eut pas grand-monde pour s'en émouvoir dans les journaux.

Sans doute le mariage de Demyan ne fut-il pas étranger à cette éclipse bienvenue. Mais Gillian n'y prêta guère attention, occupée qu'elle était à savourer le bonheur que lui procurait la maternité, elle qui était désormais mariée à l'amour de sa vie.

Découvrez la nouvelle saga *Azur*
de 8 titres inédits

La
Fierté des
Corretti
PASSIONS SICILIENNES

*Et si seul l'amour avait le pouvoir
de sauver les Corretti ?*

1ᵉʳ avril   1ᵉʳ mai   1ᵉʳ juin   1ᵉʳ juillet

1ᵉʳ août   1ᵉʳ septembre   1ᵉʳ octobre   1ᵉʳ novembre

Rendez-vous dans vos points de vente habituels
ou en e-book sur www.harlequin.fr

éditions **H HARLEQUIN**

Ne manquez pas, **dès le 1er juillet**

MARIÉE SOUS CONTRAT, *Trish Morey* • N°3485

Mariage Arrangé

Pour apporter un peu de réconfort à son grand-père malade, Simona a imaginé un plan aussi fou qu'audacieux : proposer à Alesander Esquivel de l'épouser. Bien sûr, elle sait que leurs deux familles se détestent depuis toujours, mais il s'agirait d'un mariage de convenance, jusqu'à la mort du vieil homme. Celui-ci pourra ainsi croire que les vignes qu'il a jadis cédées à son pire ennemi sont revenues dans la famille. Et tant pis si elle doit en échange abandonner à Alesander le peu de terres qu'il lui reste. Mais à mesure que le mariage approche, Simona sent sa résolution faiblir. Ne commet-elle pas une folie en liant son destin, même temporairement, à cet homme qu'elle connaît à peine, mais qui éveille en elle des sentiments intenses et troublants ?

LE SECRET D'UN MILLIARDAIRE, *Cathy Williams* • N°3486

Enceinte ? Non, Holly refuse de croire que le destin puisse se montrer aussi cruel. Il y a quelques semaines encore, cette nouvelle l'aurait emplie de joie. Aujourd'hui hélas, elle sait que Luiz Casella, l'homme qu'elle aimait de tout son cœur, s'est joué d'elle. L'impitoyable milliardaire ne lui a-t-il pas caché sa véritable identité pendant toute l'année qu'à duré leur relation ? Pourtant, en dépit de sa colère et de son chagrin, Holly ne se sent pas le droit de lui cacher son état. Mais lorsque Luiz exige alors qu'elle devienne sa femme, elle sent la panique l'envahir. Comment se résoudre à un mariage de convenance avec cet homme en qui elle n'a aucune confiance ? Sauf qu'il est de son devoir d'offrir le meilleur à cet enfant qui grandit en elle…

L'HÉRITIER D'ALESSANDRO MARCIANO, *Melanie Milburne* • N°3487

Enfant Secret

Quand Alessandro Marciano pénètre dans l'agence de décoration qu'elle a créée, Scarlett sent son sang se glacer. Comment ose-t-il se présenter devant elle – pire : exiger qu'elle travaille pour lui – après la façon odieuse dont il l'a traitée quatre ans plus tôt ? Jamais elle n'oubliera cette nuit terrible où il l'a jetée hors de chez lui, en la traitant d'aventurière prête à tout pour se faire épouser, alors qu'elle venait de lui annoncer sa grossesse ! Mais, aujourd'hui, l'importante somme d'argent qu'il lui propose lui permettrait d'offrir à son fils la vie meilleure dont elle rêve pour lui. Et puis, n'est-ce pas l'occasion inespérée de forcer Alessandro à accepter la vérité ? Car, dès qu'il aura vu Matthew, il ne pourra plus douter qu'il s'agit bien de son fils…

UNE PRINCESSE INSOUMISE, *Michelle Conder* • N°3488

Alors qu'elle séjourne en France, la princesse Ava apprend, dévastée, la mort de son frère aîné dans un terrible accident. Mais une vague de panique s'ajoute à sa profonde tristesse lorsqu'elle comprend qu'elle est maintenant l'héritière de la principauté et qu'elle sera désormais placée sous la protection rapprochée de James Wolfe. Wolfe... l'homme entre les bras duquel elle vient de vivre, sur une impulsion, une brûlante nuit de passion. N'avait-elle pas désespérément besoin de s'offrir une folie avant de rentrer à Anders, où l'attendait une vie d'obligations et de devoirs ? Des devoirs auxquels elle doit, plus que jamais, se consacrer corps et âme. Mais comment le pourrait-elle avec cet homme troublant à ses côtés - jour et nuit ?

UN JEU SI TROUBLANT, *Ally Blake* • N°3489

Un ego meurtri et une montagne de dettes, voilà tout ce que sa dernière relation sentimentale a apporté à Saskia. Aussi est-elle bien décidée à se tenir désormais à distance des hommes. Mais lorsque le beau Nate Mackenzie lui propose de rembourser ses dettes si elle accepte de se faire passer pour sa fiancée auprès de sa famille, la tentation est forte d'accepter. N'a-t-elle pas terriblement besoin de cet argent ? Et puis, ces six semaines seront vite passées... Hélas, Saskia se demande bientôt si elle n'a pas commis une terrible erreur. Car, tandis que les jours passent, Nate se révèle aussi séduisant qu'il est sexy. Au point qu'elle doit finir par admettre qu'il a le pouvoir de la blesser bien plus cruellement que tous les autres hommes réunis...

UN ÉTÉ EN ECOSSE, *Kim Lawrence* • N°3490

En acceptant le poste de gouvernante auprès de la petite Jasmine, Anna sait qu'elle s'engage dans une voie dangereuse. Car ce travail va la contraindre à cohabiter avec Cesare Urquart, l'oncle de la petite fille, qui ne fait rien pour lui dissimuler son hostilité, et qu'elle-même déteste. N'est-ce pas justement à cause de Cesare qu'elle n'a pu obtenir le poste de directrice de l'école du village ? Alors, puisque la jeune sœur de Cesare a décidé de lui confier sa fille, Anna compte en profiter pour prouver sa valeur. Et tant pis si cela ne plait pas à cet homme dont les traits si séduisants cachent un caractère odieux et une insupportable arrogance !

PRISONNIÈRE AU PALAIS, *Sara Craven* • N°3491

Andrea Valieri est prêt à tout pour se venger des Sylvester qui ont détruit sa famille. Et, aujourd'hui, cette chance se présente enfin à lui, sous les traits délicats de Madeleine Lang – la jeune fiancée de Jeremy Sylvester. C'est décidé, Andrea trouvera le moyen de l'attirer en Italie et là, de la retenir prisonnière jusqu'à obtenir les preuves qui blanchiront le nom des Valieri... Mais sitôt son plan mis à exécution, il comprend qu'il a négligé un détail important : la beauté à couper le souffle de la jeune femme. Pourtant, hors de question de céder au désir fou que celle-ci lui inspire : pour mener à bien sa vengeance, Andrea doit considérer Madeleine comme un pion, pas comme la femme vibrante de colère et de passion dont le corps de rêve hante ses nuits...

UN MOIS AVEC UN PLAY-BOY, *Kimberly Lang* • N°3492

Avoir été choisie pour récolter les fonds qui permettront de reconstruire les quartiers les plus pauvres de La Nouvelle-Orléans ? Pour Vivienne, c'est le couronnement d'années d'engagement caritatif. Mais collaborer avec Connor Mansfield, ce play-boy inconstant et cynique ? Cela lui semble insurmontable. Pourtant, Vivienne le sait, en tant que star internationale, Connor donnera une visibilité nouvelle à l'événement et permettra d'attirer de nombreux dons. Comment pourrait-elle être assez égoïste pour refuser cette collaboration ? Mais si elle doit faire bonne figure en public, elle se promet de tout faire pour effacer définitivement du visage de Connor ce sourire agaçant – et bien trop sexy – qu'il ne semble destiner qu'à elle seule...

UNE NUIT D'AMOUR AVEC LE CHEIKH, *Lynne Graham* • N°3493

- Amoureuses et insoumises - 2ème partie

Saffy ne décolère pas. Comment Zahir a-t-il osé la faire enlever ? Bien sûr, elle sait très bien que son ex-mari, le puissant cheikh de Maraban, a tout pouvoir dans son royaume. Mais elle n'aurait jamais imaginé qu'il utiliserait ce pouvoir contre elle ! Pire, il ne lui rendra sa liberté que si elle accepte de partager son lit une dernière fois. A cette idée, la colère de Saffy se teinte d'un trouble indéfinissable. Depuis leur divorce, aucun homme n'a su éveiller en elle ce feu brûlant, ce frisson... alors, n'est-ce pas l'occasion de s'offrir tout ce qu'elle désire ? Pour une nuit ? Ensuite, elle s'en fait la promesse, elle retournera à la vie qu'elle s'est construite à Londres, loin de Zahir...

AMOUREUSE D'UN CORRETTI, *Kate Hewitt* • N°3494

- La fierté des Corretti - 4ème partie

Rien n'aurait pu préparer Lucia à revoir Angelo Corretti, l'homme qu'elle n'a jamais cessé d'aimer malgré le lourd secret qu'elle porte depuis leur unique nuit de passion, sept ans plus tôt. Troublée, émue malgré elle, Lucia sait qu'elle doit à tout prix lui cacher ses sentiments puissants et tumultueux. Car Angelo n'est pas revenu en Sicile pour elle, mais uniquement guidé par sa haine des Corretti et par sa détermination à se venger d'eux. Si elle ne veut pas avoir, une nouvelle fois, le cœur brisé, Lucia va devoir garder ses distances avec Angelo Corretti, et tourner le dos au désir qu'elle voit briller dans son regard...

Attention, numérotation des livres différente
pour le Canada : numéros 1922 à 1931.

www.harlequin.fr

Composé et édité par les
éditions HARLEQUIN
Achevé d'imprimer en mai 2014

BRODARD & TAUPIN

La Flèche
Dépôt légal : juin 2014

Imprimé en France